Planetino 1

Deutsch für Kinder

Kursbuch

Gabriele Kopp
Siegfried Büttner
Josef Alberti

Hueber Verlag

Texte zum Sprechen und Lesen, Hörtexte, Ausspracheübungen und Lieder

 1/12   heller Kopfhörer: der Text ist im Buch abgedruckt

 1/13   dunkler Kopfhörer: der Text ist nur auf der CD

 1/17   Playback zum Lied

mit CD- und Trackangabe

 Lesen

Schreiben

Partnerarbeit

Hinweis auf das Portfolio

8.   7.   6. | Die letzten Ziffern
2018 17 16 15 14 | bezeichnen Zahl und Jahr des Druckes.
Alle Drucke dieser Auflage können, da unverändert, nebeneinander benutzt werden.
1. Auflage
© 2008 Hueber Verlag GmbH & Co. KG, Ismaning, Deutschland
Redaktion: Maria Koettgen, Kathrin Kiesele, Hueber Verlag, Ismaning
Umschlaggestaltung: Lea-Sophie Bischoff, Hueber Verlag, Ismaning
Umschlagfoto: Alexander Keller, München
Layout und Satz: Lea-Sophie Bischoff, Hueber Verlag, Ismaning
Zeichnungen: Bettina Kumpe, Braunschweig; Ute Ohlms, Braunschweig
Comics: Bettina Kumpe, Braunschweig
Druck und Bindung: Firmengruppe APPL, aprinta druck, Wemding
Printed in Germany
ISBN 978–3–19–301577–8 (Softcover)
ISBN 978–3–19–701577–4 (Hardcover)

Inhalt

Start frei!  Seite 5

Internationalismen
Alphabet
Zahlen 1 – 12

Kennenlernen Seite 9

1 Komm, wir spielen!	sich begrüßen	Spiele
2 Spiele	sich verabschieden	
3 Planetino	spielen	Satz W-Fragen Ja-/Nein-Frage Verbformen
4 Guten Tag – Auf Wiedersehen	auffordern sich/jemanden vorstellen	h-Laut ü-Laut

Das bin ich.

Meine Familie Seite 21

5 Meine Mutter	jemanden vorstellen	Familie und so weiter Zahlen 1 – 20
6 Meine Geschwister	spielen	
7 Mein Vater	fragen und antworten	Satz W-Fragen Ja-/Nein-Frage Personalpronomen Possessivartikel im Nominativ Verbformen Modalverben *möchte-, dürfen*
8 Meine Freunde	reagieren Personen beschreiben	ei-Laut ö-Laut

Schule Seite 33

9 Meine Klasse	auffordern	Gegenstände im Klassenzimmer Schulsachen Tätigkeiten Farben
10 Im Unterricht	fragen und sagen, was man möchte	
11 Meine Schulsachen		bestimmter Artikel im Akkusativ Verneinung mit *nicht* Verbformen
12 Was möchtest du machen?		sch-Laut lange Vokale

Meine Sachen — Seite 47

13 Kleidung	auffordern	Kleidung
14 Was ziehst du an?	spielen	eins und viele
15 Hanna und Heike	Gegenstände beschreiben	bestimmter Artikel im Nominativ und Akkusativ
16 Herzlichen Glückwunsch!	Meinung äußern	Possessivartikel im Nominativ
	fragen und antworten	Personalpronomen
		Verbformen
		Imperativ

z-Laut
kurzer Vokal vor ck

Spielen und so weiter — Seite 61

17 Was ist denn los?	sagen, was man nicht kann	Spiel und Spaß
18 So viele Sachen!	reagieren	Tätigkeiten
19 Hören – spielen – singen	Gegenstände beschreiben	bestimmter Artikel im Nominativ
20 Was machst du gern?		unbestimmter Artikel im Nominativ
		Verbformen
		W-Fragen
		Modalverb *können*

ich-Laut
sp am Wortanfang

Theater: Der König und das Gespenst — Seite 75

A Die Personen	Tagesablauf beschreiben	Wochentage
B Die Geschichte		Uhrzeit
C Die Szenen		
D Die Kostüme		
E Die Kulissen		
F Die Theateraufführung		

Feste im Jahr — Seite 85

Wortliste — Seite 93

Ein Spiel für alle Fälle — Seite 100

1 Deutsch-Quiz

a) Schau die Bilder an. Wie heißt das in deiner Sprache?

b) Hör die Wörter auf Deutsch und zeig auf den Bildern mit.

c) Lies die Wörter und such die Bilder.

Mathematik   Zoo   Disco   Telefon   CD   Zebra

Supermarkt   Internet   Pullover   Tennis   Gitarre

d) Hör zu und lies mit.

2 Hören

a) Hör zu. Was ist das?

b) Hör die Szenen. Welche Wörter kennst du schon?

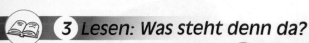

3 Lesen: Was steht denn da?

Zoo
Öffnungszeiten:
April – September: 8 bis 18h
Oktober – März: 9 bis 17h

Supermarkt

KiMode
Pullover
10 €

Jeans
20 €

Gitarrenunterricht
2 Musikstudenten
Schüler von 8 bis
Jahren. Tel: 0106/

a) Welche Wörter erkennst du?

b) Zu welchen Bildern in Übung 1 passen die Texte?

c) Sammle selbst solche Texte in deiner Muttersprache und unterstreiche das ähnliche Wort.

4 Lied: ABC

1/6
1/7

Aa	Bb	Cc	Dd	Ee	Ff	Gg
[a]	[be]	[ce]	[de]	[e]	[ef]	[ge]

Hh	Ii	Jj	Kk	Ll	Mm	Nn	Oo	Pp
[ha]	[i]	[jot]	[ka]	[el]	[em]	[en]	[o]	[pe]

Qq	Rr	Ss	Tt	Uu	Vv	Ww	Xx	Yy	Zz
[qu]	[er]	[es]	[te]	[u]	[vau]	[we]	[ix]	[ypsilon]	[zet]

5 Spiel: Buchstabenspinne

1/8

Was ist das?

f?   Nein!   _ _ _ _ _ _ _
e?   Ja!   _ _ _ _ _ _ e
h?   Nein!   _ _ _ _ _ _ e
w?   Nein!   _ _ _ _ _ _ e
k?   Nein!   _ _ _ _ _ _ e
d?   Nein!   _ _ _ _ _ _ e
r?   Ja!   _ _ _ _ r r e
s?   Nein!   _ _ _ _ r r e
t?   Ja!   _ _ t _ r r e
Gitarre? Ja!

Was ist das?
Ratet mal!

6

6 Zahlen

Hör zu, zeig mit und sprich nach.

1	eins	5	fünf	9	neun
2	zwei	6	sechs	10	zehn
3	drei	7	sieben	11	elf
4	vier	8	acht	12	zwölf

7 Ein wenig Mathematik

1 + 5 = 6
eins *plus* fünf *ist* ?

12 – 9 = ?
zwölf *minus* neun *ist* ?

11 – 8 = ?
elf *minus* acht *ist* ?

2 + 3 = ?
zwei *plus* drei *ist* ?

4 + 6 = ?
vier *plus* sechs *ist* ?

10 – 7 = ?
zehn *minus* sieben *ist* ?

8 Was ist auf der anderen Seite?

Was ist richtig?

a
- elf
- neun
- eins

b
- zwei
- drei
- vier

c
- sechs
- acht
- zehn

d
- fünf
- zwei
- sieben

Rechenrätsel

? + ? + ? + ? = zwölf
a   b   c   d

Lies die Lösung vor.

9 Zahlenbingo

Alle Kinder machen ein Kreuz auf ein Blatt.
Sie schreiben vier Zahlen von 2 bis 12 hinein,
zum Beispiel so:

$$\frac{9 \mid 3}{4 \mid 11}$$

Einer würfelt, zum Beispiel 11.
Hast du 11? Dann darfst du 11 durchstreichen.

$$\frac{9 \mid 3}{4 \mid \cancel{11}}$$

Wer alle Zahlen durchgestrichen hat,
ruft „Bingo!"

 sieben   acht   neun    zehn   elf   zwölf

10 Spiel: Schwarzer Peter

a) Macht Kartenpaare.

eins   1   zwei   2   drei

3

Und dazu: Schwarzer Peter

b) Spielt in Gruppen.
Zieh eine Karte vom Partner rechts.

Hast du ein Paar?
Dann legst du es ab und liest vor.
Der Nächste ist dran.
Wer hat am Schluss den
„Schwarzen Peter"?

He he!

Kennenlernen

1 Comic

2 Comic

a) Wohin gehören die Sätze?

1/10–11 **b)** Hör zu und lies mit.

🎧 1 Hallo, Hannes!

🎧 1/12

Hallo, Hannes!

Hallo, Heidi!

Komm, wir spielen.

Was denn?

Tischtennis?

Ach nein.

Fangen?

Nein.

Ich weiß. Würfeln.

Ach nein.

Oder Schwarzer Peter?

Nein.

Fußball.

Au ja!

Spielt die Szene auch so:

Seilspringen

Basketball

Verstecken

Memory®

Karten

🎧 2 Hören

🎧 1/13

Hör zu und und stell die Spiele dar.

10

3 Nachsprechen

 a) Hör zu und sprich genau nach.

 b) Hör zu, sprich nach und klatsch mit.

4 Ratespiel: Pantomime

Zwei Kinder kommen vor die Klasse.

5 Lied: Hallo! Guten Morgen!

1 Hallo, Susi! Guten Morgen!
Komm, wir spielen! Komm, komm, komm.
Lalalalalalala.
Komm, wir spielen! Komm, komm, komm!

2 Hallo, Peter! Guten Morgen!
Komm, wir spielen! Komm, komm, komm.
Lalalalalalala.
Komm, wir spielen! Komm, komm, komm!

3 Hallo, Kinder! Guten Morgen!
Los, wir spielen! Eins, zwei, drei.
Lalalalalalala.
Los, wir spielen! Eins, zwei, drei!

Singt auch so:
4 Hallo, Heidi! …
5 Hallo, Hannes! …

6 Laute und Buchstaben: h

a) Hör zu und sprich nach.

b) So übst du das *h*:
– Lachen: Hahaha, hehehe, …

Hahaha...

– mit einem Papierschnipsel

  h, h, h, …

c) Lies laut, dann hör zu und wiederhole.
Hallo, hallo! – Heidi! Hannes! – Hallo, Hannes. Hallo, Heidi. – Haha, hehe, hihi, hoho.

Lektion 2
Spiele

1 Memory®

a) Wir basteln ein Memory®.

Malt die Spiele von Lektion 1, Übung 1 auf Karten. Malt jedes Bild zweimal.

b) Wir spielen Memory®.

Würfeln und Fangen. Nein!

Karten und Karten. Ja!

2 Partnersuchspiel

So geht das Spiel:

Jedes Kind hat eine Karte aus dem Memory®-Spiel. Alle Kinder gehen durch die Klasse, sprechen leise das Wort und suchen das Kind mit der gleichen Karte.

3 Abzählreim

1/20

Eins, zwei, drei und was kommt dann?
Vier, fünf, sechs und du bist dran.

4 Wir spielen Würfeln

1/21

Komm, wir spielen Würfeln.

Au ja.

Also los!

Ich habe vier.

Ich habe sechs. Gewonnen!

5 So spielen wir Kinder

1 Hören: Planetino kommt

1/22   a) Hör zu und schau die Bilder an.

  b) Hör noch einmal zu. Ordne die Bilder.   GUTEN   ? ? ? ? ? ?

2 Kannst du Planetanisch?

1/23

höpe köre söpe töre wöge böge zök

hüpe küre süpe türe wüge büge zük

Kannst du das auch so?   hepe kere …   hape kare …

3 Wer bin ich?

1/24

Wer bist du denn?

Ich bin hüpe küre.

Ich weiß. Du bist Florian.

Ja.

Du bist dran.

Wer bist du denn?

Ich bin söpe töre.

Du bist Mara.

Nein. Wer bin ich?
Wöge böge zök.

Ich weiß. Du bist Pia.

Ja, richtig.

Du bist dran.

4 Lesen: Wir spielen

Planetino:	Komm, wir spielen Fußball.
Steffi:	Fußball? Ach nein.

Planetino:	Oder Karten?
Steffi:	Nein.

Planetino:	Ich weiß. Wir spielen Würfeln.
Steffi:	Au ja.

Tobias:	Hallo, Steffi.
Steffi:	Hallo, Tobias.

Tobias:	Hallo, wer bist du denn?
Planetino:	Ich bin Planetino. Los, wir spielen.

Steffi:	Komm, Tobias.
Tobias:	Also gut. Ich habe vier.

Steffi:	Jetzt ich. Ich habe fünf. Planetino, du bist dran.

Planetino:	Ich habe zwei. Gewonnen!
Steffi:	Was?
Planetino:	Ja. In Planetanien ist das so.

Lies den Text und ordne die Bilder.

? ? ? ? ? ? ? ? O

5 Drei kleine Geschichten

4
● Wer bist du denn?
♣ Wer? Ich?

1
◆ Jetzt du.
■ Was?

5
✖ Also los.
❱ Ja, ja.

3
● Nein, du.
▼ Ich bin Laura.

6
◆ Du bist dran.
■ Ach so!

2
✖ Du bist dran.
❱ Ich weiß.

a) Wie passen die Teile zusammen?   ? + ? = 7

b) Spielt die kleinen Geschichten.

6 Ratespiel: Wer ist das?

1/25

Wir malen.

Das bin ich.

Malt euch selbst. Macht das Ratespiel.

Wer ist das? Ratet mal.
Jürgen?
Nein, falsch.
Ist das Tina?
Ja, richtig.

Wer ist das?
Lisa?
Nein.
Ist das Günter?
Falsch.
Ich weiß. Das ist Planetino.
Ja, richtig!

7 Laute und Buchstaben: ü

1/26 a) Hör zu und sprich nach.

b) So übst du das *ü*: mit dem Feuerwehrauto.

Tatü tata!

1/27 c) Was ist falsch? 1, 2, 3 oder 4?

1/28 d) Lies laut, dann hör zu und wiederhole.
Günter! Günter! – Günter? Jürgen. – Jürgen, Würfeln. Würfeln!

1 Hören: Guten Morgen, guten Tag!

 1/29 **a)** Hör die Szenen und schau die Bilder an.
Ordne die Bilder. GUTEN ? ? ? ? ? ?

 1/29 **b)** Lies die Sätze. Nun hör die Szenen noch einmal.

Guten Morgen.   Guten Abend.   Tschüs.

Guten Tag.   Auf Wiedersehen.   Gute Nacht.

Ordne die Sätze den Bildern zu.

 c) Hör zu und sprich nach.

 d) Zeichne ein Comic für dein Portfolio.

 2 Lied: Guten Morgen ... Gute Nacht!

1/31
1/32

1 Guten Morgen. Hallo, Kinder!
Guten Morgen, Frau Bäcker.
Hallo, Kinder! Guten Morgen.
La-la-la-la-la-la-la.

2 Guten Tag. Hallo, Kinder!
Guten Tag, Frau Bäcker.
Hallo, Kinder! Guten Tag.
La-la-la-la-la-la-la.

4 Auf Wiedersehen. Tschüs, Kinder!
Auf Wiedersehen, Frau Bäcker.
Tschüs, Kinder. Auf Wiedersehen.
La-la-la-la-la-la-la.

3 Guten Abend. Hallo, Kinder!
Guten Abend, Frau Bäcker.
...

5 Gute Nacht. Tschüs, Kinder!
Gute Nacht, ...

3 Darf ich mitspielen?

1/33 **a)** Hallo!

Hallo! Was macht ihr denn da?

Wir spielen.

Was denn?

Fußball.

Darf ich mitspielen?

1/34 **b)** Was macht ihr denn da?

Wir spielen Schwarzer Peter.

Darf ich mitspielen?

Ja, klar.

Also los. Wer ist dran?

Ich.

1/35 **c)** Was macht ihr denn da?

Nichts.

Wie bitte?

Nichts. Wir machen nichts.

Wie langweilig. Na dann, tschüs.

Ebenso mit: Fangen, Tischtennis, Würfeln, …

4 Wer ist das?

Hallo, Kinder!
Na, was macht ihr gerade? Nichts? Wie langweilig!
Ich habe ein Rätsel für euch. Nun ratet mal:
Wer ist das? Ist das

A Herr Weiß, Lehrer?
B Frau Müller, Lehrerin?
C Clown Pipo?

Schickt eine Mail an:
rudi@kinderillu.de
Stichwort:
Rätsel-Rudi, Nummer 12
Schreibt die Lösung A, B oder C.

Und wer hat
in Nummer 11 gewonnen?
Hanno Malz, Hannover
Herzlichen Glückwunsch!

Der Sieger
bekommt eine CD
von den
Disco-Zebras!

Rätsel-Rudi

Beantworte die Fragen.

1 Ist das Herr Weiß?

2 Ist das Heft Nummer 11?
3 Wer hat in Nummer 11 gewonnen?

a) Schau die Bilder an. Was sagen die Personen? Was glaubst du?

b) Lies die Sätze. Wer sagt das?

1 2 3 4 5 6
Lösung: ? ? ? ? ? ?

R
◆ Was ist das denn?
▶ Äh. Guten Abend, Frau Rot.
◆ Herr Weiß!!!

I
♣ Los, weiter.
● Du bist dran.

K
◆ Hallo!
Was macht ihr denn da?
♣ Wir spielen Fußball.
◆ Nein! Nein! Kinder!

D
▶ Darf ich mitspielen?
♣ Ja klar.

E
● Au weia!
♣ Auf Wiedersehen,
Herr Weiß.

N
▶ Hallo, ihr zwei.
●♣ Guten Abend, Herr Weiß.

1/36 **c)** Hör die Geschichte.

d) Spielt die Geschichte. Wie geht die Geschichte weiter?

sich begrüßen

Hallo!
Guten Morgen.
Guten Tag.
Guten Abend, Herr/Frau …

sich verabschieden

Tschüs.
Auf Wiedersehen.
Gute Nacht.

spielen

Darf ich mitspielen?
Wer ist dran? – Du bist dran.
richtig – falsch
Gewonnen.

auffordern

Komm! / Komm, wir spielen. – Also los.

sich/jemanden vorstellen

Wer bist du denn?
Wer ist das? / Ist das …?
Ich bin …
Du bist …
Das bin ich.

Spiele

Fußball, Verstecken,
Würfeln, Fangen,
Basketball, Tischtennis,
Karten, Memory®,
Seilspringen, Schwarzer Peter

1

Wir	spielen	Würfeln.
Ich	habe	drei.
Das	ist	Günter.

2

Wer	bist	du	(denn)?	
Wer	bin	ich?		
Wer	ist	das?		
Was	macht	ihr	denn	da?
Was	denn?			
Wie	bitte?			

Ist	das	Jürgen?	– Ja.
Ist	das	Heidi?	– Nein.

3

Ich	**bin**	**habe**	**weiß**	
du	**bist**			
er/sie/wer	**ist**			
wir				**mach**en
ihr				**mach**t
sie				

Meine Familie

1 Comic

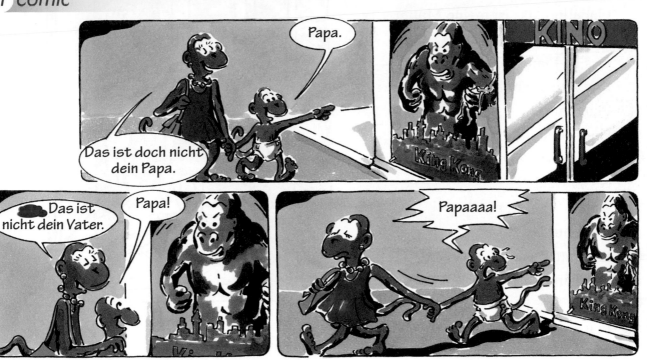

2 Comic

a) Wohin gehören die Sätze?

b) Hör zu und lies mit.

 1/37–38

Ja, klar.

Jumbo! Komm!

Nein.

Hallo!

Wer ist das denn?

1 Hallo, Mama!

 1/39

Hallo, Mama.
Planetino, das ist meine Mutter.

Steffi, wer ist das denn?

Das ist Planetino.

Wie bitte? Wer bist du?

Planetino.

Und woher kommst du?

Aus Planetanien.

Na so was!

Guten Tag, Frau äääh.

Hörmann.

Wie bitte?

Hörmann.

Guten Tag, Frau Hörmann.

Planetino ist mein Freund.

Aha! Na, kommt mal rein.

  2 Lied: 1, 2, 3 und 4, 5, 6

1/40
1/41

1, 2, 3 und 4, 5, 6.
Wo ist denn deine Mutter?
Sie ist nicht hier.
Sie ist nicht da.
Ach, da ist sie ja!

 3 Hörgeschichte

EU

R

N

F

D

1/42 **a)** Hör zu und schau die Bilder an.

b) Hör noch einmal zu. Ordne die Bilder. F ? ? ? ?

 **c)** Schreib diese Wörter auf Karten.

Planetanien · spielen · zwei · vier · Fußball · fangen · Ufo · Computer · Würfeln · Antennen

d) Platzwechselspiel

Die Kinder stehen im Kreis. Immer zwei gegenüber haben die gleiche Wortkarte. Hör die Geschichte noch einmal. Hörst du dein Wort? Dann musst du mit dem anderen Kind den Platz tauschen.

4 Würfeln und Zeichnen

1/43 Zwei, drei oder vier Kinder spielen zusammen.

Ich habe drei.

Ich habe fünf.

Ich habe gewonnen. Ich darf zeichnen.

So geht es weiter:

5 Nachsprechen

 1/44 Hör zu und sprich genau nach.

1 Meine Schwester

 Hallo, Steffi.

Planetino, das ist meine Schwester Eva.

 Hallo, Eva.

 Hallo! Woher kommst du denn?

Aus Planetanien.

Aus Planetanien! Hey, super!

Deine Schwester ist aber nett.

Ich weiß.

Möchtest du mitspielen?

Was denn?

Würfeln und Zeichnen.

Au ja, aber mit zwei Würfeln.

Super! Bis zwölf!

2 Wir spielen Würfeln und Zeichnen

Ich habe zwei plus fünf – sieben.

Ich habe drei plus sechs – neun. Ich habe gewonnen. Ich darf zeichnen.

3 Lied: 7, 8, 9 und 10, 11, 12

7, 8, 9 und 10, 11, 12.
Wo ist denn deine Schwester?
Sie ist nicht hier.
Sie ist nicht da.
Ach, da ist sie ja!

4 Nachsprechen

Hör zu und sprich genau nach.

 5 *Lied: 13, 14, 15, 16*

 1/50
 1/51

13, 14, 15, 16.
Wo ist denn dein Bruder?
Er ist nicht hier.
Er ist nicht da.
Ach, da ist er ja!

 6 *Mein Bruder*

 1/52

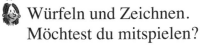 Was macht ihr denn da?
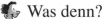 Wir spielen.
Was denn?
Würfeln und Zeichnen.
Möchtest du mitspielen?
Nein, ich habe keine Lust.
Würfeln und Zeichnen!
So ein Quatsch!

 Wer ist das denn?
 Mein Bruder.
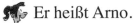 Er heißt Arno.
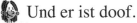 Und er ist doof.
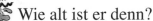 Wie alt ist er denn?
 15.
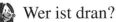 Aha! Los weiter!
Wer ist dran?

 7 *Nachsprechen*

 1/53

Hör zu und sprich genau nach.

 8 *Laute und Buchstaben: ei*

 1/54

a) Hör zu und lies mit.
eins, zwei, drei
meine Mutter, meine Schwester, mein Bruder
Würfeln und Zeichnen. So ein Quatsch!

 1/55

b) Lies laut, dann hör zu und wiederhole.
dein Bruder, deine Schwester, deine Mutter
Ich darf zeichnen. Ich weiß. Ich habe keine Lust.
Eins plus zwei ist drei.

 Du schreibst *ei*
 Du sprichst *a-i* .

N Aber Arno ist doof. Na ja.

N Tschüs. Bis bald. Dein Planetino.

E Steffi ist meine Freundin. Sie ist nett.

I Möchtest Du das auch spielen?

F Liebe Planetina!

D Steffi, Eva und ich spielen gern „Würfeln und Zeichnen".

U Eva ist auch nett.

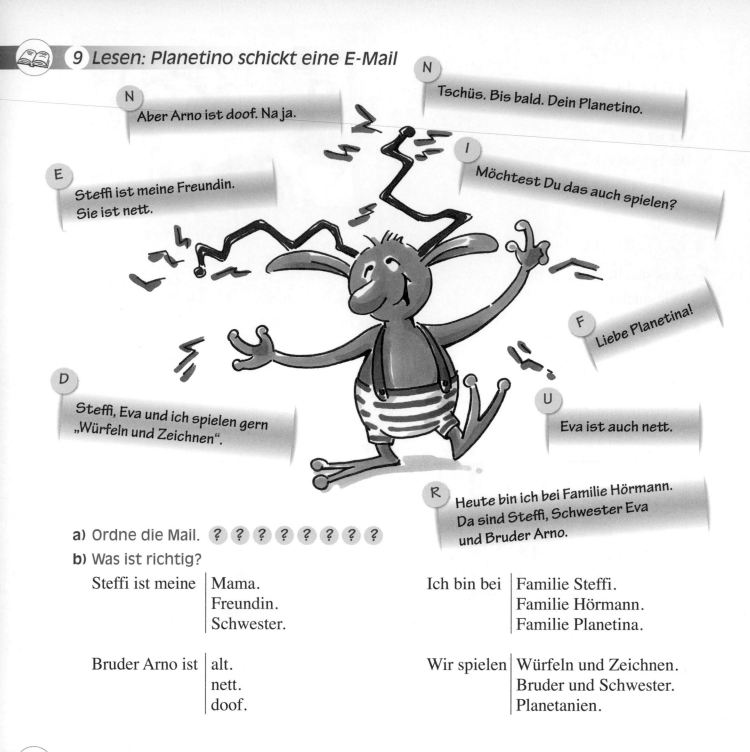

R Heute bin ich bei Familie Hörmann. Da sind Steffi, Schwester Eva und Bruder Arno.

a) Ordne die Mail. ? ? ? ? ? ? ? ?

b) Was ist richtig?

| Steffi ist meine | Mama. Freundin. Schwester. | Ich bin bei | Familie Steffi. Familie Hörmann. Familie Planetina. |

| Bruder Arno ist | alt. nett. doof. | Wir spielen | Würfeln und Zeichnen. Bruder und Schwester. Planetanien. |

10 Na so was!

Na so was!

Sie gibt es nur einmal!
Sie heißt Eclyse, ist ein Jahr alt und sieht aus wie gemalt.
Doch alles an Eclyse ist echt. Die Mutter ist ein Zebra
und der Vater ein Shetland-Pony.

1 Hören: Freunde

1/56 **a)** Hör zu und schau die Bilder an.

b) Hör noch einmal zu und ordne die Bilder. ? ? ? ? ?

1/57 **c)** Nun hör die Sätze.
Was ist richtig? Was ist falsch?
Mach die Sätze richtig.

 2 Papa!

1/58   Hallo, Kinder!

Hallo, Papa! Das ist Planetino.

Ich weiß schon.
Hallo, Planetino.

Hallo, Herr Hörmann.

Was macht ihr denn da?

Wir spielen Sitzboogie.

Darf ich mitspielen?

Ja, klar!

3 Lied: 17, 18, 19, 20

1/59   17, 18, 19, 20.
1/60   Wo ist denn dein Vater?
Er ist nicht hier.
Er ist nicht da.
Ach, da ist er ja!

4 Spiel: Sitzboogie

Alle Kinder sitzen im Kreis.
Sie zählen und machen mit.

 Eins, zwei

 drei, vier

 5, 6

 7, 8

 9, 10

 11, 12

 13, 14

 15, 16

 17, 18

 19, 20

5 Nachsprechen

1/61

Hör zu und sprich genau nach.

13	dreizehn
14	vierzehn
15	fünfzehn
16	sechzehn
17	siebzehn
18	achtzehn
19	neunzehn
20	zwanzig

6 Zahlen-Memory®

a) Macht ein Zahlen-Memory®.
Schreibt die Zahlen 1 – 20.

b) Spielt Memory®.

 1 und elf. Falsch. Du bist dran.

 20 und zwanzig. Richtig. Ich darf noch mal.

7 Lied: 20, 19, 18, 17

1/62

Mach weitere Strophen.
20, 19, 18, 17.
Wo ist denn dein Hund?
…

16, 15, …
Wo ist denn deine Katze?
…

Meine Freunde

 1 *Wer schreibt mir?*

ich

meine Eltern

meine Schwester

mein Bruder

meine beste Freundin

Baby Tim

mein Hund

Hallo,

ich bin Meike. Möchtest Du etwas von mir wissen? Also, ich bin zehn Jahre alt. Wir sind vier Kinder zu Hause. Meine Mutter ist lieb, und mein Vater ist auch sehr nett.

Meine beste Freundin heißt Steffi. Sie ist oft bei mir zu Hause. Dann spielen wir, Memory® oder Schwarzer Peter. Bastian, so heißt mein Bruder, möchte immer mitspielen. Er ist erst fünf, aber er ist super in Memory®.

Meine Schwester heißt Lisa. Sie möchte nicht mitmachen. Sie ist schon vierzehn. Sie geht lieber Tennis spielen. Tim ist zwei Jahre alt.

Und dann ist da noch mein Hund. Er heißt Wuffi und ist drei Jahre alt. Wir spielen zusammen Fußball. Meine Schwester sagt, das ist Quatsch, ein Hund und Fußball spielen. Aber ich weiß es doch! Wir spielen oft zusammen.

Wie ist Deine Familie?

Möchtest Du mir schreiben?

Bis bald
Deine Meike

a) Lies den Text und ordne dann die Bilder. ? ? ? ? ? ? ?

b) Schreib Meike einen Brief.

Schreib: Ich bin … Ich bin … Jahre alt.
Wir sind … Kinder zu Hause.
Mein Bruder heißt … Er ist … Jahre alt.
Meine Schwester …
Wir spielen …

Hallo, Meike,

2 Lesen: Planetinos Familie

Planetino: Schau mal, das ist meine Familie.

Steffi: Ist das dein Vater?

Planetino: Ja, er ist Astronaut.

Steffi: Interessant.
Und wer ist das?

Planetino: Meine Mutter.

Steffi: Deine Mutter ist aber schön.

Planetino: Ja, ja.

Steffi: Und das ist wohl dein Bruder.

Planetino: Nein, das ist meine Schwester.

Steffi: Was? Deine Schwester?

Planetino: Ja, sie ist Fußballspielerin.

Steffi: Super. Wie alt ist sie denn?

Planetino: 15.

Steffi: Und wie heißt sie?

Planetino: Planetina.

Steffi: Und wo ist dein Bruder?

Planetino: Hier.

Steffi: Was? Das ist dein Bruder?

Planetino: Ja, er ist erst zwei Jahre alt.

Steffi: Ach so. Und wie heißt er?

Planetino: Planetonio.

Steffi: Komisch. Planetino, Planetina,
Planetonio. Wie heißt denn dein Vater?

Planetino: Planetarus.

Steffi: Aha. Und deine Mutter?

Planetino: Planetaria.

Steffi: Na so was!

Planetino: Das ist so in Planetanien.

Lies den Text und ordne die Bilder.

3 Wir basteln Fingerpuppen: Planetinos Familie

Gesicht auf eine Kugel malen   Antennen aufkleben   ein Loch machen und auf den Finger stecken

Macht auch Planetarus, Planetaria, ...

4 Frag Planetino

Wie alt ist dein Bruder?

Wie heißt deine Schwester?

Drei.

...

Du fragst und dein Partner antwortet mit der Fingerpuppe.

5 Wir stellen uns vor

Guten Tag. Ich bin Planetaria. Planetino ist mein Kind.

Hallo, ich bin ... Planetino ist mein ... Ich bin ...

6 Ein wenig Planetanisch

Wös möcht öhr dönn dö?

Wör spölön Föngön.

Dörf öch mötspölön?

Jö klör.

Wö öst dönn Plönötönöö?

Ör öst nöcht dö.

Plönötönöö, wö böst dö?

Höllö, höllö!

Öch, dö böst dö jö!

a) Verstehst du Planetanisch? Wie heißt das auf Deutsch?

b) Hör die Szenen auf Deutsch.

c) Spielt die Szenen mit den Fingerpuppen, aber auf Deutsch!

d) Zeichne einen Comic zu einer Szene und schreib die Sätze auf Deutsch hinein. Leg den Comic in dein Portfolio.

7 Laute und Buchstaben: ö

a) Hör zu und sprich nach.

b) So übst du das ö:

töf – töf – töf

Törö – törö!

So schreibst du das ö: O und ¨ = Ö

c) Lies laut, dann hör zu und wiederhole.
Möchtest du mitspielen? Was möchtest du spielen? Ich habe zwölf. Schön.

jemanden vorstellen

Wer ist das (denn)? – Das ist …
Er/Sie heißt …
… ist mein Freund / … meine Freundin.
Wie alt ist … ? – Er/Sie ist …

spielen

Was macht ihr denn da? – Wir spielen …
Darf ich mitspielen?
Möchtest du mitspielen?
Ich habe 5.
Ich habe gewonnen. Ich darf zeichnen.
Los, weiter.

fragen und antworten

Woher kommst du? – Aus …
Wo ist denn …? – Er/Sie ist nicht hier/da.
Ach, da ist er/sie ja!

reagieren

Super!
Ja, klar!
So ein Quatsch!
Ich habe keine Lust.

Personen beschreiben

… ist doof/nett/schön.
Er/Sie ist 13 (Jahre alt).

Familie und so weiter

Vater/Papa, Mutter/Mama, Bruder,
Schwester, Freund, Freundin, Hund, Katze

Zahlen

eins, zwei, drei, vier, fünf, sechs, sieben,
acht, neun, zehn, elf, zwölf, dreizehn,
vierzehn, fünfzehn, sechzehn, siebzehn,
achtzehn, neunzehn, zwanzig

1

| Das | ist | Arno. | **Er** | ist | doof. |
| Das | ist | Eva. | **Sie** | ist | meine Schwester. |

2

Wo	ist	denn deine Schwester?
Woher	kommst	du?
Wie alt	ist	er (denn)?
Wer	ist	das (denn)?

| Möchtest | du | mitspielen? – Ja. |
| Darf | ich | mitspielen? – Nein. |

3

Das ist	**meine**	Schwester.
Das ist	**mein**	Bruder.
Das ist	**deine**	Schwester.
Das ist	**dein**	Bruder.

4

Ich	bin	habe		**heiß**e
du	bist			
er/sie/wer	ist			**heiß**t
wir			mach*en*	
ihr			mach*t*	
sie				

5

| Ich | **darf** | |
| du | | **möchtest** |

SUPER!

32

Schule

1 Comic

2 Comic

a) Wohin gehören die Sätze?

b) Hör zu und lies mit.

1 Hören: Im Klassenzimmer

2/4   Hör zu und zeig die Personen auf dem Bild.

2 Fragen

Stell Fragen. Dein Partner zeigt die Person auf dem Bild.

Wo ist Tobias?	–	Er ist hier.
Wo ist Teresa?	–	Sie ist …
Wo ist Lara?	–	Sie ist …
Wo ist …?	–	…

3 Hören und Nachsprechen

2/5 **a)** Hör zu und mach mit.
Geh mit zwei Fingern auf deinem Bild. Ein Schüler geht im Klassenzimmer herum.

2/6 **b)** Hör zu, zeig mit und sprich nach.

4 Laute und Buchstaben: sch

2/7 **a)** Hör zu und sprich genau nach.

b) So übst du das *sch*:

sch sch sch

2/8 **c)** Lies laut, dann hör zu und wiederhole.
Schwester, schön, Schule, Schrank, Schwarzer Peter,
Tischtennis, Waschbecken, falsch, tschüs

5 Schreiben

Schreibt Wortkarten.
Hängt die Wortkarten im Klassenzimmer auf.

Häng Wortkarten an
Sachen, wenn du den
Namen neu lernst.

6 Lesen: E-Mail

Von :	Paula@planetino_eins.de
An :	Sofia@planetino_eins.de

Liebe Sofia,
ich schicke Dir heute ein Foto von meiner Klasse. Wir sind 18 Schüler, zehn
Mädchen und acht Jungen. Elias ist mein Freund. Und meine Freundin heißt
Jana. Meine Klasse ist sehr nett. Nur Moritz ist doof. Na ja. Meine Lehrerin
heißt Frau Richter. Sie ist lieb. Wir spielen in der Schule, Memory® oder Raten.
Das ist super. Herr Ruland ist mein Sportlehrer. Er ist auch nett. Wir spielen oft
Fußball, auch die Mädchen. Oder wir spielen Basketball.
Viele Grüße
Deine Paula

a) Lies die E-Mail. Zeig auf dem Bild die Personen:
zehn Mädchen – acht Jungen – Elias …

b) Lies die Sätze. Was ist richtig? Was ist falsch?

1 In der Klasse sind zehn Schüler und acht Jungen.
2 Jana ist ein Mädchen.
3 Elias ist doof.
4 Frau Richter ist Sportlehrerin.
5 Raten ist langweilig.
6 Die Mädchen spielen Fußball.

7 Reim: Farben

a) Hör zu, lies mit und sprich nach.

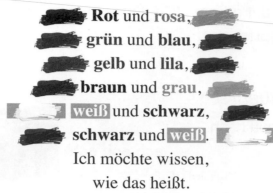

Rot und **rosa**,
grün und **blau**,
gelb und **lila**,
braun und **grau**,
weiß und **schwarz**,
schwarz und **weiß**.
Ich möchte wissen,
wie das heißt.

b) Reimen und Raten

c) Sprich den Reim auch so:

_____ und _____ , _____ und _____ , _____ und _____ , _____ und _____ ,
_____ und _____ , _____ und _____ .
Ich möchte wissen,
wie das heißt.

8 Comic: Freunde

Mach selbst einen Tiercomic für dein Portfolio.

1 Was machen wir heute?

Kinder, wir schreiben jetzt.

Ach nein, nicht schreiben, lieber malen.

schreiben

malen

Wir lesen jetzt.

Darf ich lesen?

Ja, gern.

 lesen

$4+3=7$

Kinder, wir machen Mathematik.

Rechnen! O je!

rechnen/Mathematik

Wir singen.

Singen, o je!

Simon, was möchtest du denn?

Ich möchte turnen.

singen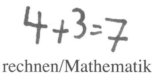

turnen

Wir basteln jetzt.

Basteln? Nein, lieber zeichnen.

basteln

zeichnen

Kinder, wir tanzen.

Au ja!

Alex, möchtest du tanzen?

Na ja.

tanzen

Was macht ihr denn da?

Schlafen.

Schlafen? Jetzt?

Hehehe!

schlafen

2 Hören und Nachsprechen

a) Hör zu und zeig auf den Bildern mit.

b) Hör zu und mach mit.

c) Hör zu und sprich nach.

lesen

3 Dialoge selbst machen

Wir ... .   Wir ... jetzt.   Möchtest du ...?

Ich möchte ...   Was möchtest du denn?

Was möchtest du denn machen?

Darf ich ...?

Ja gern.

Au ja.

Ach nein.

Nein, lieber ...

O je!

Ich habe keine Lust.

Beispiele:

 Wir *turnen* jetzt.

Ach nein. Ich habe keine Lust.

 Wir *singen*.

 Darf ich *singen*?

 O je!

4 Lied: Was möchtest du denn machen?

1 Was möchtest du denn machen?

Schreiben oder lesen?

Was möchtest du denn machen?

Schreiben oder lesen?

Schreiben? Schreiben? Lesen? Lesen?

Schreiben? Lesen? Schreiben? Lesen?

Nein! Nein! Nein! Ich habe keine Lust.

2 Was möchtest du denn machen?

Malen oder rechnen?

Was möchtest du denn machen?

Malen oder rechnen?

Malen? Malen? Rechnen? Rechnen?

Malen? Rechnen? Malen? Rechnen?

Ja! Ja! Ja! Malen macht mir Spaß!

3 Was möchtest du denn machen?

Singen oder tanzen?

...

5 Ratespiel mit Bildkarten

a) Malt die Bilder von Übung 1 auf Karten.

b) So geht das Ratespiel: Ein Kind nimmt eine Karte. Die anderen dürfen das Bild nicht sehen.

Ich möchte hüpe küre. Ratet mal!

Möchtest du basteln?

Nein.

Möchtest du malen?

Ja, richtig. Du bist dran.

1 Hören

Hör zu und zeig auf den Bildern in Übung 2 mit. Achte auf die Farben.

2 Schulsachen-Rap

Blatt,   Block,   Bleistift   Radiergummi und Rucksack

Schere,   Spitzer,   Schule   Malkasten und Mäppchen

Filzstift,   Füller,   Farbstift   Pinsel,   Kreide,   Heft,   Lineal

Tafel,   Turnzeug,   Tasche   und Buch

3 Nachsprechen

a) Hör zu und sprich genau nach.

b) Hör zu und klatsch mit.

4 Laute und Buchstaben

a) Hör zu und sprich genau nach.

b) So übst du die langen Laute:

iiiiiiiiiiiii

c) Lies laut, dann hör zu und wiederhole.

aaaaaaa: Malkasten – schlafen – malen – Abend – Tag
eeeeeee: Schere – wer – lesen – zehn
iiiiiii: Radiergummi – hier – wie – sieben – vier
ooooooo: Zoo – doof – los – rot – so
uuuuuuu: Schule – du – Fußball – guten Tag

eeeeeee

5 Ratespiel: Farben und Schulsachen

a) Schau die Bilder oben an.

b) Spielt das Ratespiel auch so:
Dein Partner darf die Bilder nicht sehen.

Mein hüpe küre ist schwarz.

Richtig. Du bist dran.

Dein Füller.

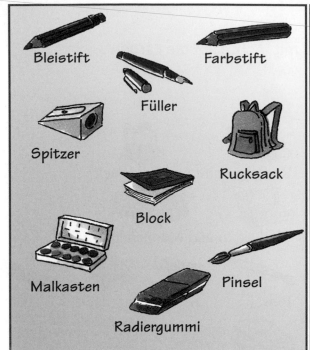

Bleistift

Farbstift

Füller

Spitzer

Rucksack

Block

Malkasten

Pinsel

Radiergummi

Lineal

Heft

Blatt

Buch

Turnzeug

Mäppchen

Tasche

Kreide

Tafel

Schere

Gib mir bitte das Buch.

Danke.

Ach, du möchtest lesen. Hier bitte.

 Gib mir bitte den Malkasten.

Ach, du möchtest malen. Hier bitte.

Danke.

Oder so:

Ich möchte schreiben. Gib mir bitte die Kreide.

…

Danke.

Sprich auch so:

Bitte gib mir den Malkasten und den Pinsel. Ich möchte malen.

Hier bitte.

…

Und so:

Ich möchte singen. Gib mir bitte das Turnzeug und die Schere.

So ein Quatsch!

 40

7 *Blau, grün oder rot?*

 8 *Das Farbenwürfelspiel*

a) Bastelt Farbenwürfel.
Malt zwei Seiten blau,
zwei Seiten grün,
zwei Seiten rot.

b) So geht das Spiel:

 c) Spielt auch so:
Nimm bitte den … und die …

 d) Und so:

 Ich möchte lesen.
Gib mir bitte das Turnzeug und den Radiergummi.

So ein Quatsch!
Wer macht den schönsten Quatsch?

9 Ratespiel

2/27

Ich habe das höpe köre. Ratet mal.

Hast du das Lineal?

Nein.

Hast du das Heft?

Nein.

Hast du den Bleistift?

Nein, ich habe das höpe köre.

Ach ja. Hast du das Buch?

Ja, richtig. Du bist dran.

10 Memory®: Schulsachen

a) Bastelt ein Memory®-Spiel. Malt Bildkarten von den Schulsachen aus Nummer 2 und schreibt Wortkarten. Malt auf alle Karten die Farbpunkte (blau, grün, rot).

b) Spielt Memory®. Sprecht so:
Ich habe den Pinsel und das Heft. Falsch.
Ich habe das Buch und das Buch. Richtig!

11 Lesen: Oh, Olaf!

O

Olaf: Den Block? Den habe ich leider auch nicht dabei.
Lehrer: Hier. Nimm das Blatt.
Olaf: Danke. Aber ich habe auch den Füller nicht dabei.

C

Lehrer: Dann nimm den Bleistift!
Olaf: Tut mir leid, das geht nicht.
Lehrer: Wie bitte?
Olaf: Ich habe auch den Bleistift nicht dabei.

L

Olaf: Tut mir leid. Ich habe das Heft nicht dabei.
Lehrer: Dann nimm den Block.

B

Lehrer: Kinder, wir schreiben. Das Heft und den Füller, bitte. Olaf! Nimm das Heft heraus.

K

Lehrer: Wie bitte? Was hast du denn überhaupt dabei?
Olaf: Nichts.
Lehrer: Nichts?
Olaf: Na ja, ich habe den Rucksack nicht dabei.
Lehrer: Oh, Olaf!

Ordne die Geschichte.

Was möchtest du machen?

1 Hören: In der Klasse

2/28 **a)** Hör zu und schau das Bild an.

b) Hör noch einmal zu. Wer spricht? Such die Personen auf dem Bild.

c) Stell Fragen:

> Wer möchte den Filzstift?

> ...

> Wer hat die Kreide?

> ...

> Wer hat den Füller?

2 Ratespiel

2/29

> Jan hat den Füller.

> Nein, falsch.

Schulsachen nehmen und verstecken   raten

3 Dialoge selbst machen

Beispiele:

Ich möchte *lesen*.

Hier hast du *das Buch*.

Möchtest du *den Füller*?

Nein, ich möchte *den Bleistift*.

Ich möchte ...

Wer hat ...?

Hast du ...?

Möchtest du ...?

Gib mir bitte ...

Ich habe ... nicht dabei.

Hier hast du ...

Nein, ich möchte ...

Ja, ich habe ...

(Name) hat ...

Ja, gib mir bitte ...

...? Hier bitte.

Hier, nimm ...!

4 Lesen: He, Tobi!

▲ Tobi! Tobias!

🐑 Ja?

▲ Möchtest du lesen?

🐑 Nein, ich möchte fernsehen.

▲ Fernsehen. So ein Quatsch.

● Tobias?

🐑 Was ist denn?

▌ Möchtest du schreiben?

🐑 Schreiben? Nein, ich habe keine Lust.
Ich möchte fernsehen.

▌ Schade. Mir ist so langweilig.

❖ He, Tobi!

🐑 Was ist denn los?

❖ Möchtest du vielleicht basteln?

🐑 Nein, ich möchte auch nicht basteln!
Ich möchte fernsehen.

❖ Fernsehen. Wie doof!

🐑 Fernsehen ist nicht doof.
Aber ... Na gut!
Pinsel, Malkasten, wo seid ihr?

■ Hier!

🐑 Ich möchte malen. Habt ihr Lust?

✖ Ja klar.

▶ Darf ich auch mitmachen?

🐑 Ja sicher. Also los!

a) Wer spricht? ? ? ?  ? Ordne die Bilder. ❓ ❓ ❓ ❓

🎧 2/30 **b)** Hör zu und sprich nach.

🎧 2/31 **c)** Hört die Geschichte. Spielt die Szene.

5 Olaf!

a) Hör zu und lies mit.

b) Was sagen die Personen? Lies die Sätze. Richtig oder falsch?

Tobias: Ich lese.

Laura: Du schreibst.

Doris: Zeichnest du?

Max: Ich male.

Jana: Was spielst du denn? Siehst du fern?

Olaf: Ich? Nein, ich bastle nicht.

6 Fragen und Antworten

a) Hör zu und antworte für Olaf.

b) Hör noch einmal zu und sprich auch die Fragen mit.

7 Spiel: Schwarzer Peter

a) Schreibt Kartenpaare.

b) Spielt „Schwarzer Peter".

Zeichnest du?   Nein, ich zeichne nicht.
Schläfst du?   Nein, ich schlafe nicht.
Singst du?   Nein, ich singe nicht.
Schreibst du?   Nein, ich schreibe nicht.
Malst du?   Nein, ich male nicht.
Turnst du?   Nein, ich turne nicht.
Rechnest du?   Ja, ich rechne.
Liest du?   Ja, ich lese.
Siehst du fern?   Ja, ich sehe fern.
Spielst du?   Ja, ich spiele.
Bastelst du?   Ja, ich bastle.
Tanzt du?   Ja, ich tanze.

auffordern
Nimm (bitte) …!
Gib mir (bitte) …! – Hier bitte. – Danke.

fragen und sagen, was man möchte
Was möchtest du (denn) machen?
Möchtest du lesen?
Möchtest du den Bleistift / das Buch /
die Kreide?
Ich möchte …
Ich habe keine Lust.
… macht mir Spaß.

Gegenstände im Klassenzimmer
Tisch, Stuhl, Papierkorb, Schrank,
Waschbecken, Fenster, Tafel, Tür

Schulsachen
Bleistift, Spitzer, Malkasten, Block,
Radiergummi, Farbstift, Füller, Pinsel,
Filzstift, Rucksack, Lineal, Heft,
Turnzeug, Mäppchen, Buch, Blatt,
Tasche, Schere, Kreide, Tafel

Tätigkeiten
lesen, schreiben, turnen, rechnen,
zeichnen, singen, tanzen, spielen, malen,
basteln, schlafen, fernsehen

Farben
rot, rosa, blau, grün, gelb, lila, schwarz,
weiß, grau, braun

1

Ich	habe	den Bleistift.
		das Buch.
		die Kreide.

Gib	mir	den Bleistift.
		das Buch.
		die Kreide.

2

Ich	schlafe	**nicht.**
Ich	singe	**nicht.**
Ich	schreibe	**nicht.**

3

ich	bin	habe		**mal**e
du	bist	**hast**		**mal**st
er/sie/wer	ist	**hat**		
wir	**sind**		mach**en**	
ihr	**seid**	**habt**	mach**t**	
sie				

4

ich	darf	**möchte**
du		möchtest
er/sie/wer		

Möchtest du lesen?
Ich möchte schlafen.

Meine Sachen

1 Comic

2 Comic

a) Wohin gehören die Sätze?

b) Hör zu und lies mit.

Gib her!　sehr schön.　Was machen wir denn jetzt?

Ich weiß.　Nein

Los!　Hier bitte!　Super!

So ein Quatsch!

47

🎧 **1** *Hören: Vor dem Schaufenster*

Schal 6,-€

Tuch 3,-€

Mütze 8,-€

Handschuhe 5,-€

Kleid 12,-€

Jeans 38,-€

Mantel 57,-€

Jacke 41,-€

Stiefel 9,-€

Hemd 25,-€

Bluse 13,-€

Pulli 17,-€

Schuhe 45,-€

Rock 11,-€

T-Shirt 7,-€

Hose 27,-€

🎧 2/36

a) Hör zu und schau das Bild an.

b) Schau die Kleidungsstücke an und lies die Wörter still.

c) Hör noch einmal zu und zeig auf die Kleidungsstücke.

d) Lies die Fragen. Welche Antwort ist richtig?

1 Wie findet Lukas den Mantel?

B Doof.

D Gut.

M Super.

2 Wer findet die Jacke ganz nett?

A Lukas.

L Veronika.

O Lukas und Veronika.

3 Wer möchte den Rock?

I Mama.

L Lukas.

U Veronika.

4 Was möchte Lukas?

K Die Hose und das Hemd.

T Das Kleid und das Tuch.

S Die Jeans und die Stiefel.

5 Was möchte Lukas nachher machen?

E Fußball spielen.

N Einkaufen.

R Die Stiefel anziehen.

Lösung: ❓ ❓ ❓ ❓ ❓

2 Hören

 2/37

Wer hat das an? Steh auf.

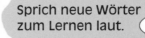

Sprich neue Wörter zum Lernen laut. Kleid

3 Nachsprechen

2/38

Hör zu, zeig auf das Bild und sprich genau nach.

4 Hören: Platzwechselspiel

a) Macht Bildkarten und schreibt Wortkarten. Malt die Punkte (blau, grün, rot, gelb).

 2/36 **b)** So geht das Spiel.
Alle Kinder stehen im Kreis. Immer zwei Kinder gegenüber haben die passende Bildkarte und Wortkarte.
Hör die Geschichte noch einmal. Hörst du dein Wort? Dann musst du mit dem anderen Kind den Platz tauschen.

5 Memory®

Spielt Memory® mit den Bildkarten und den Wortkarten. Legt die Bildkarten auf eine Seite und die Wortkarten auf die andere Seite.

Sprich so:

Ich habe den Rock und das Hemd. Falsch.

Ich hab die Schuhe und die Schuhe. Richtig.

6 Wie findest du ...?

2/39 Wie findest du den Pulli da?
Gar nicht schön.

Ich finde die Bluse sehr schön. Und du?
Na ja, ganz nett.

Mach weitere Dialoge.

7 Basteln

a) Schneide aus Zeitungen und Katalogen Kleidungsstücke aus. Klebe von jeder Sorte immer nur ein Kleidungsstück auf ein Blatt. (1 Mantel, 1 Pulli, 1 Hose ...)

b) Frag deinen Partner.

Wie findest du die Stiefel?

Super. / Toll.		Nicht so schön. / Nicht so nett.
Sehr schön. / Sehr nett.		Nicht schön.
Schön. / Nett.	Ganz nett.	Gar nicht schön.
		Doof.

c) Schreib Sätze unter die Bilder.
Ich finde die Jacke doof.
Ich finde den Mantel ...

Leg das Blatt in dein Portfolio.

8 Quartett

 2/40

a) Nehmt die Bildkarten von Übung 4.
Ein Quartett ist: ● Rock, Mantel, Schal, Pulli   ● Bluse, Hose, Jacke, Mütze
● Hemd, Kleid, Tuch, T-Shirt   ● Schuhe, Jeans, Stiefel, Handschuhe

b) So geht das Spiel:
Mischt die Karten. Vier Kinder spielen zusammen.
Jedes Kind bekommt vier Karten.

1 Lesen: Schi fahren

Lilly:	Ich möchte jetzt gehen. Kommst du?
Bastian:	Ja, ja.
Lilly:	Hast du alles dabei?
Bastian:	Ja.
Lilly:	Hast du die Schihose an?
Bastian:	Ja, klar.
Lilly:	Und die Stiefel?
Bastian:	Ja, sicher.
Lilly:	Zieh die Handschuhe an.
Bastian:	Ich habe die Handschuhe schon an.
Lilly:	Mach die Jacke zu.
Bastian:	Ja.
Lilly:	Und setz die Mütze auf.
Bastian:	Lass mich in Ruhe. Hast du denn die Schihose an?
Lilly:	Ja, klar.
Bastian:	Und ✳✳?
Lilly:	✳✳
Bastian:	Hast du auch die Handschuhe dabei?
Lilly:	Ja, sicher!
Bastian:	Und ✳✳?
Lilly:	Ja, sicher. – O je!
Bastian:	Was ist denn los?
Lilly:	Ich habe die Schier nicht dabei.

a) Lies die Geschichte und ordne die Bilder. ? ? ? ? ? E ?

 b) Ergänze die Geschichte. Richtig? Hör zu.

c) Beantworte die Fragen.

1 Was möchte Lilly machen?

2 Was hat Bastian an?

3 Wer hat die Schier nicht dabei?

2 Spiel: Blau, grün, rot oder gelb?

3 Ratespiel

Ich habe (die) hüpe küre.
Hast du die Bluse?
Nein.
Hast du die Schuhe?
Nein, rot.
Ach ja, hast du die Mütze?
Ja, richtig. Du bist dran.

4 Spiel: Koffer packen

Spieler 1: Ich habe den Mantel.
Spieler 2: Ich habe den Mantel und die Schuhe.
Spieler 3: Ich habe den Mantel, die Schuhe und das Buch.
Spieler 4: Ich habe den Mantel, die Schuhe, das Buch und die Tasche …

5 Zieh an! Setz auf!

a) Hör zu und schau die Bilder an.

b) Hör zu und lies mit.

Zieh den Mantel an.	Zieh den Pulli aus.	Setz den Hut auf.
Zieh das Hemd an.	Zieh das T-Shirt aus.	Setz die Mütze auf.
Zieh die Hose an.	Zieh die Jacke aus.	Setz die Brille auf.
Zieh die Schuhe an.	Zieh die Handschuhe aus.	

c) Hör zu und mach mit.

52

6 Laute und Buchstaben: z

 a) Hör zu und sprich genau nach.

b) So übst du das *z*:

ZZZZZ

 c) Lies laut, dann hör zu und wiederhole.

Zieh den Pulli an.
Zieh die Schuhe aus.
Setz die Mütze auf.

Den Filzstift, bitte.
Moritz möchte zeichnen.
Und jetzt du.

Wo ist mein Turnzeug?
Mein Spitzer ist schwarz.

7 Abzählreim

Eins, zwei, drei.
Du bist dran.
Zieh doch mal den Mantel an.

Eins, zwei, drei.
Du bist raus.
Zieh sofort den Mantel aus.

8 So ein Quatsch!

Setz die Jacke auf.
Zieh die Mütze an.
Setz den Rock auf.
Zieh die Brille an.
Zieh den Hut an.
Setz die Schuhe auf.

a) Mach die Sätze richtig.

b) Zeichne eine Person auf ein Blatt.
Mach Quatschsätze.
Du sagst einen Quatschsatz
und dein Partner malt.
Dann sagt dein Partner einen
Quatschsatz und du malst.
Jeder dreimal.

Setz die Hose
auf.

 c) Schreib die Quatschsätze dazu
und leg das Blatt in dein Portfolio.

1 Nach dem Sport

🎧 2/49

🐵 Wo ist denn mein T-Shirt?

🐵 Hier.

🐵 Ach, da ist es ja! Danke.

🐵 Wo sind denn nur meine Schuhe?

🐵 Was ist denn los?

🐵 Meine Schuhe sind weg.

🐵 Deine Schuhe?
Quatsch! Hier sind sie doch!

🐵 Ach ja! Danke.

Ebenso mit:

mein	mein	meine	meine
Rock	Hemd	Bluse	Schuhe
Mantel	Kleid	Hose	Jeans
Schal	Tuch	Jacke	Stiefel
Pulli	T-Shirt	Mütze	Handschuhe
er	es	sie	sie

2 Lied: 1, 2, 3 und 4, 5, 6

🎧 2/50
🎧 2/51

1, 2, 3 und 4, 5, 6.
Wo ist denn mein Mantel?
Er ist nicht hier.
Er ist nicht da.
Ach, da ist er ja!

7, 8, 9 und 10, 11, 12.
Wo ist denn mein Kleid?
Es ist nicht hier.
Es ist nicht da.
Ach, da ist es ja!

13, 14, 15, 16.
Wo ist denn meine Jacke?
Sie ist nicht hier.
Sie ist nicht da.
Ach, da ist sie ja!

17, 18, 19, 20.
Wo sind denn meine Stiefel?
Sie sind nicht hier.
Sie sind nicht da.
Ach, da sind sie ja!

3 Hören: Wir gehen ins Kaufhaus

SCH

U

E

L

 2/52

a) Hör zu und ordne die Bilder. ❓ ❓ ❓ ❓

b) Schreib diese Wörter auf Karten:

Gitarre

Schule

Kaufhaus

Spielsachen

Schulsachen

Kaufhaus

c) Leg die Wortkarten auf den Tisch. Hör die Geschichte
noch einmal. Wenn du ein Wort hörst, musst du die
Karte hochheben.

Schule · Spielsachen · Gitarre · Schulsachen

4 Hören: In der Schreibwarenabteilung

 2/53

Alles für die Schule

Farbstifte
10 Farben
6 Euro

Blätter
20 Stück 1 Euro

2 Scheren 3 Euro

Bücher, Comics
und Geschichten
Stück 1 Euro

10 Hefte 5 Euro

5 Radiergummis 2 Euro

6 Pinsel 4 Euro

3 Blöcke 2 Euro

a) Hör zu und schau das Bild an.

b) Lies die Schilder.

c) Hör noch einmal zu und zeig auf dem Bild mit.

5 Laute und Buchstaben: ck

 2/54

a) Hör zu und sprich genau nach.

 2/55

b) Lies laut, dann hör zu und wiederhole.
Zieh den Rock und die Jacke an.
Das ist mein Block.   Das sind deine Blöcke.
Wo ist dein Rucksack?   Wir spielen Verstecken.

⚠️ Der Laut vor dem *ck* ist kurz:

**ack, eck, ick, ock,
uck, öck**

6 *Lesen: Bei den Spielsachen*

Hanna:	Na, bist du fertig?
Heike:	Ja, ich habe alles.
Hanna:	Dann gehen wir jetzt zu den Spielsachen.
Heike:	Ja, gut.
Hanna:	Oh, sieh mal! Die Puppen – und die Puppenkleider! Die Hosen! Und die Jacken! Sind die nicht süß?
Heike:	Na ja.
Hanna:	Wie findest du denn die Pullis da?
Heike:	Na ja.
Hanna:	Die Kleider sind doch super, oder?
Heike:	Na ja. Ich weiß nicht.
Hanna:	Was hast du denn?
Heike:	Ich spiele nicht so gern mit Puppen.
Hanna:	Nein? Was spielst du denn?
Heike:	Fußball.

a) Lies die Geschichte und such die Puppenkleider auf dem Bild.

b) Lies die Sätze. Was ist richtig? Was ist falsch?

1 Heike ist nicht fertig.
2 Hanna und Heike gehen zu den Schulsachen.
3 Hanna findet die Jacken sehr nett.
4 Hanna findet die Puppenkleider doof.
5 Heike spielt nicht so gern Fußball.

7 *Kleine Geschichten*

1

● Wo sind denn meine Hefte?
● Meine Schere ist weg.
● Wo sind denn nur meine Farbstifte?
■ Was ist denn los?

2

● Mein T-Shirt ist weg.
■ Hier.
■ Deine Schere? Hier.
■ Deine Farbstifte sind hier.

3
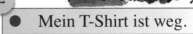

● Ach ja, danke.
● Ach, da ist sie ja!
● Ach, da sind sie ja!
■ Quatsch! Hier ist es doch.

a) Wie passen die Teile zusammen? Schreib vier kleine Geschichten. Jede Geschichte hat drei Teile.

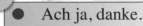
1 **2** **3**

b) Schau das Bild genau an und mach weitere Geschichten.

1 Hören: Mein Geburtstag

a) Hör zu und schau das Bild an.

b) Hör noch einmal zu.
Hör die Fragen und antworte laut.

c) Lies die Sätze.
Was ist richtig? Was ist falsch?

1 Tina hat Geburtstag.
2 Die Schuhe sind von Mama und Papa.
3 Die Schuhe sind schwarz.
4 Der Rock ist weiß.
5 Die Jacke ist blau.
6 Das T-Shirt ist weiß.
7 Der Schal ist von Mama.
8 Der Schal ist rot und weiß.
9 Die Mütze ist von Alex und Kati.
10 Die Mütze ist gelb.

2 Basteln und Raten

a) Schneide aus farbigem Papier
Kleidungsstücke aus, aber immer nur eins;
1 Pulli, 1 Rock …
Alle kleben die Kleidungsstücke gemeinsam
auf ein großes Blatt.

b) So geht das Spiel:

Mein Mantel ist grün.

Der da?

Falsch.

Der da?

Richtig. Du bist dran.

mein – der	mein – das	mein – die	meine – die
Rock	Hemd	Bluse	Schuhe
Mantel	Kleid	Hose	Jeans
Schal 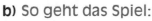	Tuch	Jacke	Stiefel
Pulli	T-Shirt	Mütze	Handschuhe

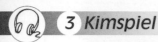

3 Kimspiel

 2/58

Hängt die Karten des Quartettspiels „Kleidung" (Seite 50) so an die Tafel:

Alle Kinder machen die Augen zu. Ein Kind nimmt ein Bild weg. Augen auf!

Der Pulli ist weg.

Was ist weg?

Was ist weg?

Die Handschuhe sind weg.

4 Das weiß ich noch!

2/59

Schau deine Mitschüler genau an. Dann Augen zu! Denk nach!
Wie ist der Rock von …? Und die Hose von …? …

Was machst du denn?

Ich denke nach.

Ich weiß sieben Sachen.

Also los!

Der Rock von Tina ist blau.
Die Hose von Jan ist braun.
…

Richtig. Bravo!

5 E-Mail von Tina

An :

Liebe/r …,
heute ist mein Geburtstag. Ich habe viele Sachen bekommen: Schuhe, Rock, Jacke … Die
Schuhe sind … Na ja, macht nichts. Aber der Rock ist … Er ist … Die Jacke ist … Und das
T-Shirt … Das sieht toll aus. Der Schal passt auch dazu. Er ist … Der Schal ist von … Die
Mütze ist von … Sie ist …, aber auch … Ich schicke Dir ein Foto. Na, wie findest Du das?
Viele Grüße
Deine …

a) Schreib Tinas E-Mail. Hör noch einmal die Geschichte von Übung 1.

b) Wie sieht Tina in den neuen Sachen aus? Mal ein Bild.

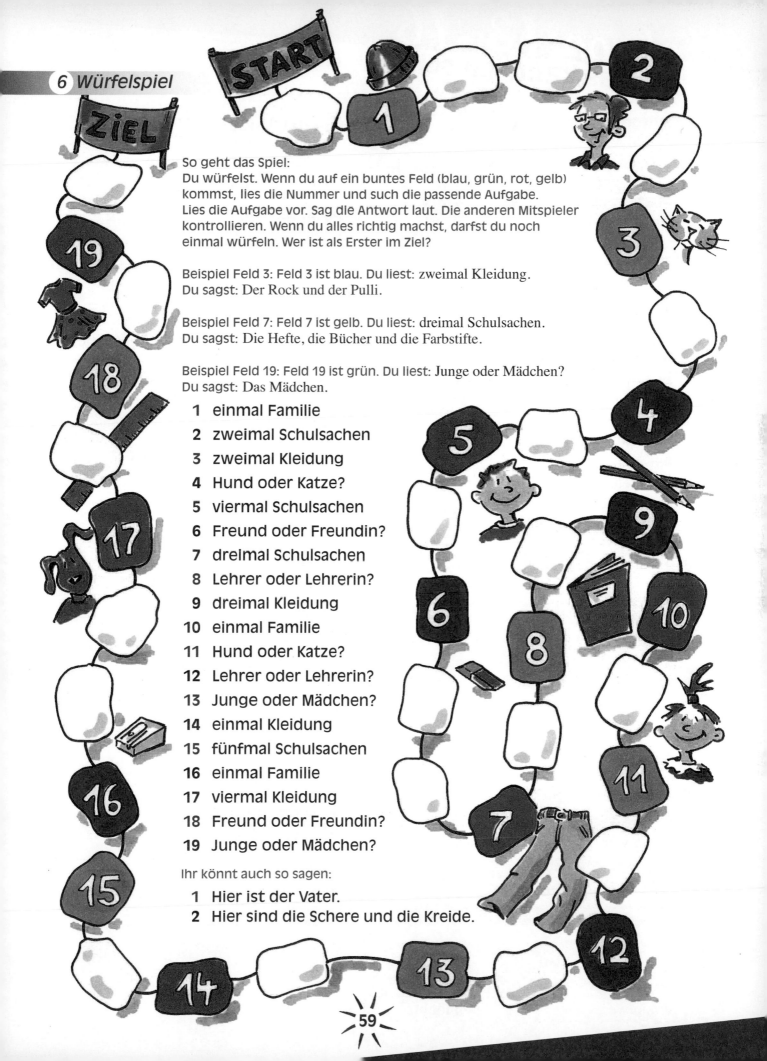

So geht das Spiel:
Du würfelst. Wenn du auf ein buntes Feld (blau, grün, rot, gelb)
kommst, lies die Nummer und such die passende Aufgabe.
Lies die Aufgabe vor. Sag dle Antwort laut. Die anderen Mitspieler
kontrollieren. Wenn du alles richtig machst, darfst du noch
einmal würfeln. Wer ist als Erster im Ziel?

Beispiel Feld 3: Feld 3 ist blau. Du liest: zweimal Kleidung.
Du sagst: Der Rock und der Pulli.

Beispiel Feld 7: Feld 7 ist gelb. Du liest: dreimal Schulsachen.
Du sagst: Die Hefte, die Bücher und die Farbstifte.

Beispiel Feld 19: Feld 19 ist grün. Du liest: Junge oder Mädchen?
Du sagst: Das Mädchen.

1 einmal Familie
2 zweimal Schulsachen
3 zweimal Kleidung
4 Hund oder Katze?
5 viermal Schulsachen
6 Freund oder Freundin?
7 dreimal Schulsachen
8 Lehrer oder Lehrerin?
9 dreimal Kleidung
10 einmal Familie
11 Hund oder Katze?
12 Lehrer oder Lehrerin?
13 Junge oder Mädchen?
14 einmal Kleidung
15 fünfmal Schulsachen
16 einmal Familie
17 viermal Kleidung
18 Freund oder Freundin?
19 Junge oder Mädchen?

Ihr könnt auch so sagen:

1 Hier ist der Vater.
2 Hier sind die Schere und die Kreide.

auffordern

Nimm …
Setz … auf!
Zieh … an!
Mach … zu!
Gib her!

spielen

Hier bitte! Du bist noch mal dran.
Tut mir leid. Jetzt bin ich dran.
Was ist weg?

Gegenstände beschreiben

Mein/Der Pulli ist gelb/blau/….

Meinung äußern

Wie findest du …?
Ich finde … super / sehr schön /
sehr nett / schön / nett /ganz nett /
nicht so schön / nicht so nett /
nicht schön / gar nicht schön / doof

fragen und antworten

Wo sind denn meine …? – Hier.
– Ach, da sind sie ja! Danke.
– Hier sind sie doch.

Kleidung

Rock, Mantel, Schal, Pulli, Hemd, Kleid,
Tuch, T-Shirt, Bluse, Hose, Jacke, Mütze,
Schuhe, Jeans, Stiefel, Handschuhe

eins und viele

-e: Heft – Hefte, Filzstift – Filzstifte,
     Farbstift – Farbstifte
-n: Hose – Hosen, Jacke – Jacken,
     Bluse – Blusen, Mütze – Mützen
-en: Hemd – Hemden
-er: Kleid – Kleider
-s: Pulli – Pullis, Schal – Schals,
    T-Shirt – T-Shirts
-: Pinsel – Pinsel

1

Zieh	den Mantel	an!		Der Mantel	ist weg.
	das Hemd			Das Hemd	ist weg.
	die Jacke			Die Jacke	ist weg.
	die Schuhe			Die Schuhe	sind weg.

2

Das ist	mein Mantel.		Er ist	grün.
	mein T-Shirt.		Es ist	blau.
	meine Jacke.		Sie ist	rot.
Das sind	meine Stiefel.		Sie sind	schwarz.

3

ich	bin	habe		mal*e*
du	bist	hast		mal*st*
er/sie/wer	ist	hat		
wir	sind		mach*en*	
ihr	seid	habt	mach*t*	
sie	**sind**			

4

Ich	darf	möchte
du		möchtest
er/sie/wer		**möchte**

Spielen und so weiter

1 Comic

2 Comic

a) Wohin gehören die Sätze?

3/2–3 b) Hör zu und lies mit.

Nein, ich habe jetzt keine Lust.

Was ist denn das?

He! Mein Ball!

Ach ja?

Hallo. Was macht ihr denn da?

Möchtest du mitspielen?

Also los!

Ach, da ist er ja!

Und wie geht das?

1 So ein Mist!

 3/4

Wo ist denn mein Bleistift?
Wo ist denn nur mein Bleistift?
So ein Mist!

Was ist denn los?

Ich kann nicht schreiben.
Mein Bleistift ist weg.

Das gibt's doch nicht.

Doch, er ist weg.

Und was ist das?

Ach, da ist er ja!

Na, also.

Ebenso mit:

Rucksack – zur Schule gehen
Fußball – Fußball spielen
Würfel – würfeln

Ball – ?
Malkasten – ?
Buch – ?

Schere – ?
Heft – ?
Farbstifte – ?

 3/5

Oder so:

He, was hast du denn?

Ich möchte zeichnen, aber ich kann nicht.

Warum denn nicht? Warum kannst du denn nicht zeichnen?

Meine Farbstifte sind weg.

Sind das deine Farbstifte?

Ach ja. Danke.

2 Comic: Was ist denn los?

a) Was sagen die Tiere? Mein/Meine … ist weg. Ich kann nicht …

b) Mach selbst so einen Tier-Comic. Leg das Blatt in dein Portfolio.

3 Laute und Buchstaben: ch

 a) Hör zu und sprich genau nach.

b) So sprichst du das *ch*
nach *i*, *e*, *ei*, *ä*, *ö*, *ü* und Konsonant:

 chchchchch!

c) Lies laut, dann hör zu und wiederhole.
Ich möchte nicht rechnen. Ich möchte nicht zeichnen.
Ich möchte sechzehn Bücher und sechzehn Mäppchen. Richtig!

4 Dialoge selbst machen

Lies noch einmal die Dialoge aus Übung 1.
Mach mit deinem Partner selbst Dialoge.

Wo ist/sind denn (nur)…?	Mein/Meine … ist/sind weg / nicht da.
So ein Mist!	Das gibt's doch nicht.
Was ist denn los?	Quatsch. / Na so was!
Was hast du denn?	Doch, er/es/sie ist/sind weg.
Ich kann nicht …	Ach, da ist/sind er/sie ja!
Ich möchte …, aber ich kann nicht.	Ist/Sind das dein/deine …?
Warum denn nicht?	Danke.
Warum kannst du denn nicht …?	Na also.

Spielt die Dialoge vor der Klasse.

5 SMS

1
Wir spielen
heute
Basketball.
Kommst du?
Option. Senden Löschen

2
Warum kannst
du heute
nicht kommen?
Option. Senden Löschen

3
Ich kann
heute nicht
kommen.
Option. Senden Löschen

4
Schade!
Warum denn
nicht?
Option. Senden Löschen

5
Ich spiele
mit Papa
Tennis.
Option. Senden Löschen

6
G abc 09:06
153/1
Tut mir leid.
Ich kann
nicht.
Option. Senden Löschen

a) Wie passen die SMS-Nachrichten zusammen? ? + ? = 7

b) Schreib die SMS-Nachrichten auf: 1 + ?
Schreib weitere Antworten dazu.
Beispiel: Warum denn nicht? …
Mach eine SMS-Kette.

c) Schreib eine SMS-Kette zu 3 + ? + …

63

1 Hören: Was wünschst du dir?

1	Gameboy®	19,90 €
2	Teddybär	15,00 €
3	Ball	4,00 €
4	CD-Player	129,00 €
5	Lastwagen	14,00 €
6	Drachen	6,50 €
7	MP3-Player	49,00 €
8	Schiff	19,50 €
9	Spiel	9,80 €
10	Fahrrad	240,00 €
11	Springseil	3,00 €
12	Skateboard	34,90 €
13	Auto	6,50 €
14	Flugzeug	23,00 €
15	Computerspiel	26,70 €
16	Handy	109,00 €
17	Eisenbahn	85,00 €
18	Puppe	45,00 €
19	Gitarre	88,00 €
20	Figuren	5,50 €
21	Inlineskates	75,00 €
22	Karten	2,00 €
23	Comics	2,60 €

3/8

a) Hör zu und schau die Bilder an.

b) Schau die Bilder an und such die passenden Wörter.

c) Hör noch einmal zu und zeig auf den Bildern mit.

d) Beantworte die Fragen.

1 Finden die Kinder die Eisenbahn toll oder doof?
2 Spielt Fabian gern mit Puppen oder mit Figuren?
3 Spielt Fabian lieber Karten oder Computerspiele?
4 Mag Julia den Drachen oder die Inlineskates?
5 Fährt Julia Skateboard oder Fahrrad?
6 Möchte Julia das Handy oder den MP3-Player zum Geburtstag?
7 Möchte Fabian den MP3-Player oder die Gitarre zum Geburtstag?

 2 Nachsprechen

3/9 Hör zu, zeig mit und sprich genau nach.

3 Spiel: Wo ist ...?

a) Macht Bildkarten und malt auch die Punkte (blau, grün, rot, gelb).

b) Schreibt alle Wörter von Übung 1 an die Tafel. Lest die Wörter genau.

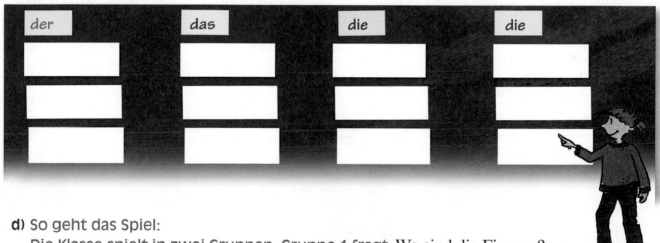

der	das	die	die
Gameboy®	Schiff	Eisenbahn	Figuren
Teddybär	Spiel	Puppe	Inlineskates
Ball	Handy	Gitarre	Karten
CD-Player	Fahrrad		Comics
	Computerspiel		

c) Hängt die Bildkarten an die richtige Stelle, aber verdeckt!
Jetzt kann man die Bilder und die Wörter nicht mehr sehen.

d) So geht das Spiel:
Die Klasse spielt in zwei Gruppen. Gruppe 1 fragt: Wo sind die Figuren?
Ein Schüler aus Gruppe 2 geht an die Tafel und zeigt: Hier.
Ist das richtig? Dann bekommt die Gruppe 2 einen Punkt.
Nun fragt Gruppe 2: Wo ist ...? oder Wo sind ... ?

e) So könnt ihr auch spielen:
Schreibt oben über die Spalten
A, B, C, D und an der Seite so viele
Zahlen, wie Reihen da sind.
Die Klasse spielt in zwei Gruppen.
Ein Schüler der Gruppe 1 geht an die
Tafel, zeigt auf eine Karte und fragt:
Was ist A2? Gruppe 2 antwortet:
Der Teddybär. Richtig?
Dann bekommt Gruppe 2 einen Punkt.
Nun zeigt und fragt ein Schüler aus Gruppe 2.
Gruppe 1 antwortet.

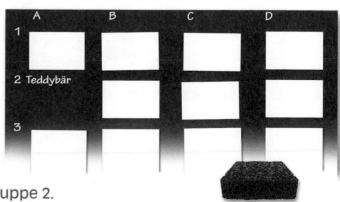

4 Laute und Buchstaben: sp

 sp am Wortanfang sprichst du (sch-p).

 3/10 **a)** Hör zu und sprich genau nach.

 3/11 **b)** Lies laut, dann hör zu und wiederhole.

Mein Sportlehrer ist nett.   Hier ist mein Springseil.   Spielen macht mir Spaß.

5 Komm, wir spielen.

3/12   Komm, wir spielen Karten.

 Die Karten sind ja total alt.

 Hier, die Karten sind neu.

a) Mach weitere Dialoge:

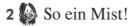

schmutzig   sauber   kaputt   ganz

 3/13 **b)** Hör die Dialoge zur Kontrolle.

6 Kleine Geschichten

a) Macht die Geschichten fertig.

1 Komm, wir spielen Basketball.
Igitt, der ist ja schmutzig.
Hier, der  ist  .

2 So ein Mist!
Was ist denn los?
Der ✹ fliegt nicht.
Das gibt's doch nicht.
Ach, der ist ja ✹.

3 Möchtest du Musik hören?
Ja, gern. Aber wie?
Hier. Mein ✹.
Ist der neu?
Nein, schon total ✹.
Aber das macht doch nichts, oder?

4 Oh, deine ✹. ist aber schön.
Kann die auch fahren?
Ja klar. Die ist doch ✹.
Also los!

 3/14 **b)** Hört die Geschichten zur Kontrolle.

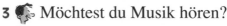

7 Geschichten selbst schreiben

a) Schreib kleine Geschichten wie in Übung 5.
Beispiele: Würfeln – Würfel   kaputt – ganz   Memory® – Karten   schmutzig – …

 b) Schreib eine Geschichte auf ein Blatt und mal ein Bild dazu.
Leg das Blatt in dein Portfolio.

8 Partnersuchspiel

a) Ihr braucht Karten in zwei verschiedenen Farben,
eine Farbe für die Fragen und eine Farbe für die Sätze.
Schreibt diese Fragen auf:

Wo ist der Pinsel/Bleistift/Ball/Fußball?
das Fahrrad/Skateboard?
die Gitarre?

Wo sind die Farbstifte/Comics/Karten/Schier?

> Wo ist das Turnzeug?

> Wo ist die Schere?

> Wo ist der MP3-Player?

> Ich möchte Musik hören.

Schreibt diese Sätze auf:

Ich möchte turnen/würfeln/basteln/malen/schreiben/zeichnen/lesen.
Basketball/Fußball/Gitarre spielen.
Rad/Skateboard/Schi fahren.
Karten spielen.

b) So geht das Spiel:
Jedes Kind hat eine Karte.
Alle gehen durch die Klasse
und sprechen dabei ihre Frage
oder ihren Satz.
Jeder sucht den Partner mit
der passenden Karte.

9 Was machen wir?

3/15

Ein Paar des Partnersuchspiels steht vor der Klasse.

Oder so: „Richtig. Wir fahren Rad."

ihr

spielt   schreibt   turnt   fahrt Skateboard   würfelt   zeichnet   malt   bastelt

1 Hören: Was ist das?

3/16

ein	ein	eine	—
Ball	Fahrrad	Schere	Schuhe
Stuhl	Auto	Tür	Kinder
Spitzer	Schiff	Katze	Inlineskates
Hund	Handy	Gitarre	Filzstifte
Würfel	Flugzeug	Eisenbahn	
Lastwagen	Computerspiel	Puppe	
		Kreide	

Hör das Geräusch und antworte laut.

2 Spiel: Fühl mal!

3/17

3 Spiel: Zeichnen und Raten

3/18

Ein Kind zeichnet an der Tafel.

4 Clowns

- Was ist das denn?
- Ein Buch.
- Was? So dick?

a) Mach weitere Dialoge.

Bleistift – lang
Stuhl – klein
Schere – groß
Block – dünn
Springseil – kurz

 b) Hör zu.

5 Lied: Lang oder kurz

Ein Lineal ist lang oder kurz.
Ein Heft ist dick oder dünn.
Eine Tafel ist groß oder klein.
Na ja, das muss wohl so sein.

Farbstifte sind lang oder kurz.
Bücher sind dick oder dünn.
Schuhe sind groß oder klein.
Na ja, das muss wohl so sein.

Mach weitere Strophen. Überlege:

Wie ist	ein Teddybär?	Wie ist	ein Auto?	Wie ist	eine Puppe?
	ein Spitzer?		ein Flugzeug?		eine Eisenbahn?
	ein Radiergummi?		ein Schiff?		eine Tasche?
	ein Pinsel?		ein Hemd?		eine Kreide?
	ein Ball?	Wie sind	Figuren?		
	ein Pulli?		Filzstifte?		
	ein Rock?		Handschuhe?		
	ein Mantel?		Stiefel?		
	ein Schal?		Karten?		

Lern Wörter in Paaren.
alt – neu

groß – klein
dick – dünn
lang – kurz
alt – neu
kaputt – ganz
schmutzig – sauber

6 Klopfspiel

Alle Kinder klopfen leise mit den Fingern auf den Tisch.

Ist der Satz richtig? Du hebst die Hand.　Ist der Satz falsch? Du klopfst weiter.

7 Buchstabenspiel

Immer 4–6 Kinder spielen in einer Gruppe zusammen.
Jede Gruppe schreibt die gleichen Wörter auf Kärtchen.

Alle Kärtchen zerschneiden und mischen.

Welche Gruppe findet das Wort am schnellsten?

8 Gleich oder nicht gleich?

In Bild 1 ist ein Bleistift.　　　In Bild 2 sind drei Bleistifte.
In Bild 1 …　　　　　　　　　In Bild 2 …

1 *Lesen*

Was machen denn die Sachen da?

Was ist denn hier los? Die Spielsachen machen heute Quatsch. Die Inlineskates und die Figuren machen mit. Und das Fahrrad ist natürlich auch dabei! Was machen die denn da?
Die Puppe singt und das Flugzeug spielt Gitarre dazu. Was macht denn der Teddybär? Er fährt Skateboard. Er fährt sehr gut Skateboard. Bravo!
Das Auto liest. Das Buch ist sicher interessant.
Das Springseil bastelt und der Drachen malt.
Oh, das Haus ist aber schön!
Wo ist denn die Eisenbahn? Ach, da! Sie fliegt!
Sie möchte wohl ein Flugzeug sein.
Und der Lastwagen? Was macht der?
Lastwagen! Hallo, Lastwagen! Ach so. Er hört Musik. Und der Ball? Er ist im Bett und schläft.
Das Fahrrad und das Schiff spielen Tischtennis.
Sie spielen gern Tischtennis.
Die Figuren turnen und die Inlineskates tanzen.
Nur die Karten machen nichts.
Sie haben keine Lust. Sport und Spielen!
Wie langweilig!

a) Lies die Geschichte. Wie viele Sachen machen Quatsch?

b) Lies noch einmal genau die Geschichte. Nun lies die Sätze 1 – 12. Richtig oder falsch?

1 Die Figuren und die Inlineskates sind auch dabei.

2 Die Puppe spielt Gitarre und das Flugzeug singt.

3 Der Teddybär fährt super Skateboard.

4 Das Buch liest. Das Auto ist sicher interessant.

5 Das Springseil bastelt.

6 Der Drachen ist schön.

7 Das Flugzeug möchte eine Eisenbahn sein und fliegt.

8 Der Lastwagen hört Musik.

9 Das Bett schläft.

10 Das Fahrrad und das Schiff spielen Tennis.

11 Die Figuren tanzen und die Inlineskates turnen.

12 Die Karten haben keine Lust. Sie machen nichts.

 c) Hör die Fragen. Antworte laut.

d) Schreib selbst eine Quatschgeschichte. Leg die Geschichte in dein Portfolio.

2 Ratespiel: Wer macht was?

Was macht Uta?

Sie schreibt.

Nein.

Sie liest.

Richtig. Du bist dran.

Oder so:

Was machen Uli und Jan?

Sie lesen.

Nein.

Sie tanzen.

Richtig. Ihr seid dran.

 3 E-Mail

An :

Liebe/r …,
ich spiele heute Tennis. Das macht mir Spaß. Ich spiele immer mit Paul. Das ist mein Freund.
Er spielt sehr gut. Aber ich habe auch schon oft gewonnen. Meine Hobbys sind Tennis spielen,
Basteln und Musik hören. Das ist manchmal doof. Denn meine Schwester liest gern und viel.
Sie sagt, sie kann nicht lesen. Meine Musik ist so laut. Na ja, mir ist das egal.
Aber sonst ist Julia – so heißt meine Schwester – ganz nett. Sie und mein Bruder Alex tanzen
Rock'n'Roll. Das ist toll! Sie tanzen super! Das möchte ich auch mal machen. Alex spielt auch
Gitarre. Meine Freunde machen auch alle Musik. Und sie fahren Skateboard.
Das finde ich langweilig. Ich spiele lieber Tennis. Was machst Du gern? Was macht Dir Spaß?
Was sind Deine Hobbys? Was machen Deine Geschwister und Deine Freunde? Bitte schreib mir bald.
Liebe Grüße
Deine Teresa

a) Stell Fragen.

Wie heißt die …?   Wer spielt gut …?   Was machen die …?   Wie tanzen …?

 b) Antworte Teresa. Schreib eine E-Mail.

4 Interview-Spiel

a) Sammelt Wörter an der Tafel und schreibt Zahlen davor.

1 tanzen	5 Skateboard fahren	9 fliegen	13 basteln
2 lesen	6 Gitarre spielen	10 schlafen	14 rechnen
3 turnen	7 Musik hören	11 schreiben	15 zeichnen
4 singen	8 Tennis spielen	12 malen	16 spielen

b) So geht das Spiel:

Jedes Kind schreibt einen Satz auf ein Blatt.

Beispiel: Ich höre Musik.   oder   Ich schlafe.

Die anderen dürfen den Satz nicht sehen. Jetzt gehen alle Kinder
mit dem Blatt und einem Bleistift in der Klasse herum und fragen.

Jakob sucht die Nummer an der Tafel
und schreibt:

Jana 10.

Jakob darf nichts schreiben.
Er muss andere Kinder fragen.

Wer als Erster sechsmal „Ja" hat, ruft:
„Ich bin fertig!"

Ich fahre Skateboard.

Jana 10	Laura 1
Steffi 2	Henry 3
Bastian 9	Johannes 7

c) Nach dem Spiel:

Jakob ist als Erster fertig. Er darf die Klasse fragen:
„Wie viele Kinder schlafen? Ratet mal."

Alle schreiben, zum Beispiel: Drei Kinder schlafen.   Oder   Ein Kind schläft.

Ebenso mit:

Wie viele … lesen? / Wer liest? Hand hoch!

Wie viele … fahren Skateboard? / Wer fährt Skateboard? Hand hoch!

sagen, was man nicht kann

Ich kann nicht schreiben/lesen/…
Mein/meine … ist weg/kaputt.
So ein Mist!

reagieren

Das gibt's doch nicht.
Ach, da ist er/es/sie ja! /
  Ach, da sind sie ja!
Na also!
Ja klar.

Gegenstände beschreiben

lang, kurz, dünn, dick, groß, klein, kaputt,
ganz, sauber, schmutzig, alt, neu

Spiel und Spaß

Gameboy®, Teddybär, Ball, CD-Player,
Lastwagen, Drachen, MP3-Player,
Schiff, Spiel, Fahrrad, Springseil,
Skateboard, Auto, Flugzeug,
Computerspiel, Handy, Eisenbahn,
Puppe, Gitarre, Figuren, Inlineskates,
Karten, Comics

Tätigkeiten

fliegen, Musik hören, Skateboard fahren,
Gitarre spielen, Tennis spielen

1

Der	Bleistift	ist weg.
Das	Lineal	ist kaputt.
Die	Eisenbahn	ist super.
Die	Karten	sind schmutzig.

2 Was ist das? – Ein Ball.

Ein	Ball	ist groß oder klein.
Ein	Buch	ist dick oder dünn.
Eine	Eisenbahn	ist lang oder kurz.
——	Schuhe	sind groß oder klein.

3

ich	bin	habe	höre	fliege
du	bist	hast	hörst	fliegst
er/sie/wer	ist	hat	hört	fliegt
wir	sind	haben	hören	fliegen
ihr	seid	habt	hört	fliegt
sie	sind	haben	hören	fliegen

4

ich	darf	möchte	kann
du		möchtest	kannst
er/sie/wer		möchte	

Ich möchte schlafen.
Kannst du fliegen?

Der König und das Gespenst

A Die Personen

1 *Lied: Wir stellen uns vor*

Hier ist das Schloss Gerlindenburg.
Das Schloss ist wunderbar.
Es ist sehr groß und hat viel Platz.
Viele Leute wohnen da.

Ich bin der König Adalbert.
Ich hab' so viel zu tun.
Ein König hat ja immer Stress.
Am Abend möcht' ich nur noch ruh'n.

Ich bin die Königin Rosmarie.
Der König ist mein Mann.
Der König hat so viel zu tun.
Ich helf', so gut ich kann.

Prinz Bernhard und Prinzessin Ann,
wir sind die Kinder hier.
Wir haben jeden Tag Unterricht.
Am Samstag spielen wir.

Ich bin der Minister hier.
Der König hört auf meinen Rat.
Ich helfe König Adalbert
immer mit Rat und Tat.

Ich bin der Diener Ludowig.
Der König ist mein Herr.
Ich bin so gut, ich bin so schnell.
Der König braucht mich sehr.

Und ich bin das Gespenst Wisu.
Hihi, hehe, huhu.
Ich hab' mit Adalbert meinen Spaß.
Der König hat keine Ruh'.

a) Hör zu und schau die Bilder an.

b) Hör zu und lies mit.

c) Hör zu und sing mit.

 3/27 **a)** Ergänze die Sätze. Dann hör zu und lies mit.

 3/28 **b)** Hör zu und sprich nach.

3/29 **c)** Hör zu und antworte laut.

d) Schau die Bilder an, lies den Text und ergänze den Wochenplan

Montag	Dienstag	Mittwoch	Donnerstag	Freitag	Samstag	Sonntag
Reiten		Gitarre spielen			Spielen	

e) Mach deinen eigenen Wochenplan und leg ihn in dein Portfolio.

f) Frag deinen Partner: Was machst du am Montag?
Antwort: Basketball spielen.
Oder: Ich spiele Basketball.

3 Wie spät ist es?

a) Wie spät ist es?
Hör zu und antworte laut.

b) Mach ein Rätsel
für deinen Partner.
Klopf die Uhrzeit und frag:
Wie spät ist es?

zwölf (Uhr)

elf (Uhr) Es ist **ein Uhr / eins**

zehn (Uhr) zwei (Uhr)

neun (Uhr) drei (Uhr)

acht (Uhr) vier (Uhr)

sieben (Uhr) fünf (Uhr)

sechs (Uhr)

4 Was macht König Adalbert?

a) Was macht König Adalbert den ganzen Tag?
Hör zu.

E Musik hören

F Kaffee trinken

H aufstehen

S Mittagessen

A schlafen

U den Minister treffen und arbeiten

A frühstücken

G reiten

A Ann und Bernhard bei den Hausaufgaben helfen

B Abendessen

U mit Königin Rosmarie Tennis spielen

N ins Bett gehen

b) Hör noch einmal zu. Ordne die Bilder
? ? ? ? ? ? ? ? ? ?

c) Hör zu und antworte laut.

d) Stell deinem Partner Fragen: Was macht der König um zehn Uhr?
Antwort: Aufstehen.

e) Frag auch so: Was machst du um … Uhr?

f) Der König schreibt seinem Freund einen Brief und erzählt von seinem Tag.
Schreib den Brief.

Lieber Freund,
ich habe jeden Tag so viel zu tun: um zehn Uhr aufstehen, um elf Uhr …

1 *Lesen: Der König und das Gespenst*

1 Es ist Nacht über Schloss Gerlindenburg. Alle Bewohner gehen ins Bett: der Diener, der Minister, Prinz Bernhard und Prinzessin Ann, Königin Rosmarie und natürlich auch König Adalbert.

Bald ist Mitternacht. Alle schlafen schon. Die Uhr schlägt ein, zwei, drei, vier, fünf, sechs, sieben, acht, neun, zehn, elf, zwölf Mal. Auf einmal… „huhu". Und dann wieder … „hehe"! Was ist das? Es ist im Zimmer des Königs. Der König wacht auf. Was kann das nur sein? Der König kann nicht mehr schlafen. Immer wieder hört er „huhu, hehe, hihi". Dann schlägt die Uhr einmal. Es ist ein Uhr. Und das „Huhu" hört plötzlich auf.

2 Am nächsten Tag spricht der König mit allen Leuten. Er möchte wissen, was das „Huhu" bedeutet.

Der Diener weiß es: Es gibt ein Gespenst im Schloss. Immer zur Geisterstunde von zwölf bis ein Uhr nachts ist es unterwegs. Der König wird böse. Was? Ein Gespenst? Das geht doch nicht!

Der Minister hat eine Idee: Die Geisterstunde darf es einfach nicht geben. Dann kann das Gespenst nicht geistern. Aber wie?

3 In der nächsten Nacht bleibt der Diener im Zimmer des Königs. Der König schläft. In einer Ecke wartet das Gespenst Wisu. Die Uhr schlägt ein, zwei, drei, vier, fünf, sechs, sieben, acht, neun, zehn, elf, zwölf Mal. Gerade möchte das Gespenst „huhu" machen, da stellt der Diener die Zeiger der Uhr auf eins. Die Geisterstunde ist vorbei. Und Wisu darf nicht mehr geistern.

4 Das Gespenst ist so sauer. Es wartet, bis der Diener weg ist. Der König schläft ganz fest. Jetzt nimmt Wisu König Adalberts Sachen: den Mantel, die Schuhe und natürlich die Krone. Es verlässt ganz leise das Schlafzimmer des Königs und nimmt die Sachen mit.

5 Am nächsten Morgen sitzt der König im Bett. Er möchte sich anziehen. Der Diener möchte König Adalbert dabei helfen. Aber wo sind die Sachen? Der schöne, rote Mantel ist weg – und die Schuhe auch. Und wo ist die Krone? Sie ist auch nicht da. Der König ruft den Minister. Und wieder hat der Minister eine Idee: Die Sachen können nur bei dem Gespenst im Turm sein.

6 Der König, der Minister und der Diener steigen in das Turmzimmer hinauf. Sie machen die Tür auf. Da sitzt das Gespenst, und da sind auch König Adalberts Sachen.

Der König spricht mit Wisu. Eigentlich ist das Gespenst ganz nett. Aber jede Nacht geistern! Das geht nicht. Das Gespenst möchte aber so gern geistern. Was tun? Und schon wieder hat der Minister eine Idee: Am Freitag und am Samstag darf das Gespenst geistern. Da ist es nicht so schlimm. Da kann der König ausschlafen. Am Sonntag, am Montag, am Dienstag, am Mittwoch und am Donnerstag ist Ruhe. Wisu ist einverstanden. Der König und das Gespenst sind jetzt Freunde.

a) Ordne die Bilder den Textteilen zu.

Lösung:

b) Spiel zusammen mit deinem Partner eine Szene aus der Geschichte pantomimisch vor. Die anderen raten. Teil 1 oder Teil 2 oder …?

2 Lied: Die Uhr schlägt zwölf

3/33
3/34

1 Die Uhr schlägt zwölf, um Mitternacht
macht das Gespenst „huhu".
Der König aus dem Schlaf erwacht
und findet keine Ruh'.

2 Wie schön, dass sie jetzt Freunde sind,
der König und Wisu.
Wisu geistert nur zweimal noch.
Der König hat jetzt Ruh'.

A

König:	Diener, ich möchte mich anziehen.
Diener:	Sehr wohl, Herr König. Aber wo sind die Sachen?
König:	Wie? Was? Meine Sachen sind weg?
Diener:	Ja, der Mantel und die Schuhe sind nicht mehr da. Und die Krone ist auch weg.
König:	Das gibt's doch nicht!
König:	Minister, Minister!
Minister:	Ja, Herr König?
König:	Meine Sachen sind weg.
Minister:	Na so was! Moment, ich habe eine Idee: Die Sachen hat sicher das Gespenst im Turm. Auf zum Turm!

N

Diener:	Gute Nacht, Herr König.
König:	Gute Nacht. Ch – ch – ch – ch – ch …
Diener:	So, zwölf Uhr. Und jetzt … schon ein Uhr. Hehehe.

O

König:	Hier im Schloss ist etwas, das macht in der Nacht „huhu, hehe, hihi".
Prinzessin Ann:	Vielleicht ein Vogel?
Prinz Bernhard:	Oder eine Katze?
Königin:	Oder vielleicht ein Hund?
König:	Quatsch!
Diener:	Darf ich etwas sagen?
König:	Ja gern.
Diener:	Das ist sicher ein Gespenst.
König:	Was? Ein Gespenst?
Diener:	Ja. Immer von zwölf bis ein Uhr in der Nacht.
König:	Was? Ein Gespenst hier im Schloss?
Diener:	Ja. Zuerst nur im Turm. Und jetzt wohl auch im Schlafzimmer des Königs. O je!
König:	Kommt das Gespenst jede Nacht?
Diener:	Ja, von zwölf bis eins.
König:	Und ich kann nicht schlafen.
Minister:	Hmm, von zwölf bis eins. Ich verstehe: Geisterstunde.
König:	Was kann ich denn nur machen? Ich brauche doch den Schlaf.
Minister:	Moment, ich habe eine Idee. Die Geisterstunde darf es einfach nicht geben. Dann kann das Gespenst nicht geistern.
König:	Aha! Aber wie?

M

Diener:	Gute Nacht, Herr König. Gute Nacht, Frau Königin.
Minister:	Gute Nacht, Herr König. Gute Nacht, Frau Königin.
Prinz Bernhard:	Gute Nacht, Mutter. Gute Nacht, Vater.
Prinzessin Ann:	Gute Nacht, Papa. Gute Nacht, Mama.
Königin:	Gute Nacht, Kinder. Gute Nacht, Adalbert.
König:	Gute Nacht. Ch – ch – ch – ch – ch – ch – ch …
Gespenst:	Huhu – hehe – hihi – hoho …
König:	Was ist denn das?
Gespenst:	Huhu – hehe – hihi – hoho …
König:	Ruhe! Ich möchte schlafen.
Gespenst:	Huhu – hehe – hihi.

T

Gespenst:	So ein Mist. Na warte! Ah, der Diener ist weg. Und gleich sind deine Sachen auch weg, König Adalbert. Was nehme ich denn mit? Hier, den Mantel, die Schuhe und natürlich die Krone. Hihihi!

G

Minister:	Hier ist ja das Gespenst.
König:	Und da sind auch meine Sachen. Sag mal, du kannst doch nicht einfach meine Sachen nehmen. Wie heißt du eigentlich?
Gespenst:	Wisu.
König:	Ich bin König Adalbert.
Gespenst:	Ich weiß.
König:	Warum nimmst du einfach meine Sachen?
Gespenst:	Ich bin sauer.
König:	Warum denn?
Gespenst:	Von zwölf bis eins ist Geisterstunde. Das ist meine Zeit. Ich bin ein Gespenst. Ich möchte von zwölf bis ein Uhr in der Nacht geistern. Aber dein Diener macht einfach die Geisterstunde weg. Das ist gemein.
König:	Du kannst doch nicht jede Nacht geistern. Ich habe so viel zu tun. Ich bin am Abend müde und möchte schlafen.
Gespenst:	Was machen wir denn da?
Minister:	Moment, ich habe eine Idee. Am Freitag und am Samstag darf Wisu geistern. Da kann der König ausschlafen.
König:	Richtig.
Minister:	Am Sonntag, am Montag, am Dienstag, am Mittwoch und am Donnerstag ist Ruhe.
König:	Na, Wisu, was sagst du dazu?
Gespenst:	Also gut.
König:	Freunde?
Gespenst:	Freunde.

🎧 3/35–37   **Wie passen die Teile zu der Geschichte? Ordne die Teile. Hör zu.**

Lösung: ? ? ?

D Die Kostüme

1 Die Kronen für König und Königin

Material: Goldpapier

Goldpapier falten | Zacken ausschneiden | zusammenkleben

2 Die Kette für den Minister

Material: Alufolie, Karton

Streifen von Alufolie zusammendrehen

aus den Streifen Ringe machen und ineinanderhängen

einen Kreis aus Karton schneiden und ein Loch in die Scheibe machen

die Scheibe in Alufolie einwickeln

die Scheibe mit einem Ring an der Kette festmachen

E Die Kulissen

1 Wir basteln eine Uhr

Material: Karton, Korken, Stecknadel

Zahlen auf Ziffernblatt schreiben

Zifferblatt aus Karton ausschneiden

zwei Zeiger auf Karton zeichnen und anmalen

Zeiger ausschneiden

die Stecknadel durch die Zeiger und das Zifferblatt stecken

die Stecknadel hinten in den Korken stecken

2 Auf der Bühne

a) Das Schlafzimmer

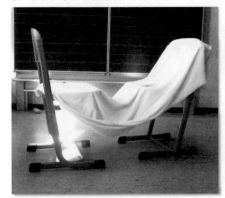 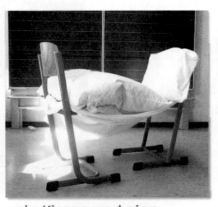 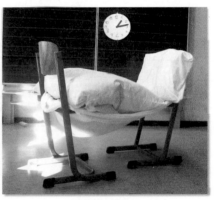

zwei Stühle zusammenstellen und eine Decke darüberlegen

ein Kissen und eine Bettdecke hineinlegen

die Uhr aufhängen

b) Der Thronsaal
über einen großen Stuhl eine schöne Decke legen

c) Das Turmzimmer
mehrere Stühle im Halbkreis aufstellen

1 Die Bühne

Wenn die Bühne groß ist, könnt ihr alle drei Zimmer nebeneinander aufbauen:

- das Schlafzimmer des Königs
- den Thronsaal
- das Turmzimmer

Wenn die Bühne klein ist, müsst ihr nach jeder Szene wechseln. Das ist aber nicht so schlimm. Die Schauspieler und auch andere Kinder stellen sich vor die Kulisse und singen das Lied „Die Uhr schlägt zwölf". Andere Kinder bauen um. Wichtig: Vorher den Umbau gut üben! Das muss schnell gehen.

2 So könnt ihr die Geschichte als Theater aufführen

a) Alle Kinder, Schauspieler, Helfer und „Bühnenarbeiter" stehen am Anfang auf der Bühne. Die Schauspieler singen das Lied „Wir stellen uns vor" (3/26).
Am Schluss singen alle Kinder zusammen die Liedstrophe 1:

Die Uhr schlägt zwölf, um Mitternacht
macht das Gespenst „huhu".

Der König aus dem Schlaf erwacht
und findet keine Ruh'.

 3/38

b) Die Schauspieler spielen Szene 1.
Dann singen alle die Strophe 1
(„Die Uhr schlägt zwölf, ...")

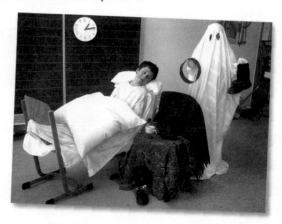

Szene 2
Liedstrophe 1

Szene 3
Liedstrophe 1

...

Szene 6
Alle Kinder, Schauspieler, Helfer und „Bühnenarbeiter" singen die Strophe 2:

Wie schön, dass sie jetzt Freunde sind,
der König und Wisu.

Wisu geistert nur zweimal noch.
Der König hat jetzt Ruh'.

▶ **Ein Tipp:** Die Rolle des Königs ist schwer. Er hat sehr viel zu sagen.
In jeder Szene kann ein anderes Kind den König spielen. Dann muss keiner so viel Text lernen. Das könnt ihr natürlich auch mit anderen Rollen machen.

Feste im Jahr

Sankt Martin

1 Lied: Ich geh' mit meiner Laterne

3/39
3/40

Ich geh' mit meiner Laterne
Und meine Laterne mit mir.
Dort oben leuchten die Sterne
Und unten, da leuchten wir.
Der Hahn, der kräht, die Katz' miaut,
Rabimmel, rabammel, rabumm.

Ich geh' mit meiner Laterne
Und meine Laterne mit mir.
Dort oben leuchten die Sterne
Und unten, da leuchten wir.
Der Martinsmann, der zieht voran
Rabimmel, rabammel, rabumm.

Ich geh' mit meiner Laterne
Und meine Laterne mit mir.
Dort oben leuchten die Sterne
Und unten, da leuchten wir.
Mein Licht geht aus,
wir geh'n nach Haus,
Rabimmel, rabammel, rabumm.

Material:

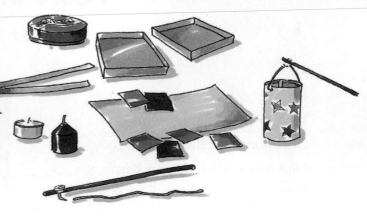

- eine runde, große Käseschachtel oder zwei gleich große Kartondeckel
- zwei Streifen fester Karton
- ein langer Streifen Transparentpapier
- ein Teelicht oder eine dicke Kerze
- ein Stock aus Holz mit einem Nagel
- ein langes Stück Draht

aus dem Deckel ein Loch ausschneiden

zwei Kartonstreifen in den Boden kleben

zwei Löcher in den Deckel machen

den Deckel ankleben

auf das große Papier Sterne aus buntem Transparentpapier kleben

das Papier ankleben

in den zwei Löchern einen Draht festmachen

den Draht am Stock festmachen

das Teelicht am Boden festkleben

1 *Lied: Hört doch in den Stuben*

3/41
3/42

Hört doch in den Stuben,
die Mädchen und die Buben!
Niklaus, Niklaus, komm in unser Haus!

Tu uns nicht erschrecken!
Ach, lass die Rute stecken!
Niklaus, Niklaus, komm in unser Haus!

Bring für uns ein Püppchen!
Wir essen auch das Süppchen.
Niklaus, Niklaus, komm in unser Haus!

Lass die Nüsse springen!
Wir danken dir mit Singen.
Niklaus, Niklaus, komm in unser Haus!

2 *Wir basteln einen Nikolaus*

Material:

• ein Apfel • ein Zahnstocher • eine Walnuss • Watte • rotes Papier

ein Gesicht auf eine
Nuss zeichnen

den Zahnstocher unten
in die Nuss stecken

den Zahnstocher mit der
Nuss in den Apfel stecken

einen Bart aus Watte
auf das Gesicht kleben

aus dem roten Papier
einen spitzen Hut machen

den Hut
auf die Nuss kleben

1 Adventskalender

Im Dezember hat jedes Kind einen Adventskalender. Der Kalender hat 24 Türen. Jeden Tag darf das Kind eine Tür aufmachen.

2 Wir basteln einen Adventskalender

Material:
- 24 leere Streichholzschachteln
- buntes Papier
- ein langer Papierstreifen
- ein Band

die Streichholzschachteln mit buntem Papier bekleben

die Schachteln bemalen oder bekleben

auf die Schachteln Zahlen von 1 bis 24 schreiben

die Schachteln auf den Papierstreifen kleben

das Band oben an den Papierstreifen ankleben

Die Mutter legt etwas in jede Schachtel: ein Stück Schokolade, einen Keks, ein kleines Bild, ...

Und du darfst jeden Tag eine Schachtel aufmachen.

3 *Lied: O Tannenbaum*

3/43
3/44

O Tannenbaum, o Tannenbaum,
wie grün sind deine Blätter!
Du grünst nicht nur zur Sommerzeit,
nein, auch im Winter, wenn es schneit.
O Tannenbaum, o Tannenbaum,
wie grün sind deine Blätter!

4 *Wir basteln einen Weihnachtsstern*

Material:

- Goldpapier oder
  buntes Papier

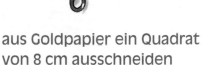

aus Goldpapier ein Quadrat
von 8 cm ausschneiden

mit Bleistift ein Kreuz und
eine Diagonale einzeichnen

an jeder Kreuzlinie bis zur
Hälfte einschneiden

die Ecken bis zur
Diagonalen einrollen und
festkleben

noch einen Stern basteln
(gleich groß oder kleiner)

den zweiten Stern gedreht
auf den anderen kleben

5 Wir basteln eine Weihnachtskarte

ein buntes Papier falten
und den Rand verzieren

einen Stern aufkleben

den Rand der Innenseite
verzieren und
Frohe Weihnachten
schreiben

6 Lied: Morgen, Kinder, wird's was geben

3/45
3/46

Morgen, Kinder, wird's was geben.
Morgen werden wir uns freu'n.
Welch ein Jubel, welch ein Leben,
wird in unserm Hause sein!
Einmal werden wir noch wach.
Heißa, dann ist Weihnachtstag.

1 Wir feiern Karneval

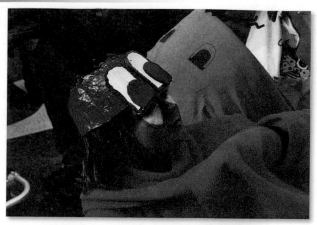

2 Wir basteln eine Maske

Material:

• ein Pappteller • Wolle • zwei Gummis

auf einen Pappteller ein
Gesicht aufmalen und
Haare aufkleben

die Augen und die Nase
ausschneiden

an den Seiten Löcher
machen und die Gummis
festmachen

1 *Wir suchen Ostereier*

2 *Wir basteln einen Osterhasen*

Material:

- ein ausgeblasenes braunes Ei
- braunes Papier

am Ei oben und unten
ein Loch machen und
das Ei ausblasen

auf das Ei ein
Hasengesicht malen

aus braunem Papier
Ohren ausschneiden und
ankleben und einen Ring
als Hals machen

Wortliste

Die chronologische Wortliste enthält die Wörter des Kursbuches mit Angabe der Seiten, auf denen sie zum ersten Mal genannt werden. Nomen mit der Angabe (Sg.) verwendet man nur oder meist im Singular. Nomen mit der Angabe (Pl.) verwendet man nur oder meist im Plural. Passiver Wortschatz ist *kursiv* gedruckt.

Start frei!

Seite 5
Start, der (Sg.)
frei
Start frei!
Quiz, das (Sg.)
Mathematik, die (Sg.)
Zoo, der, -s
Disco, die, -s
Telefon, das, -e
CD, die, -s
Zebra, das, -s
Supermarkt, der, ¨-e
Internet, das (Sg.)
Pullover, der, -
Gitarre, die, -n
Tennis, das (Sg.)
hören

Seite 6
lesen
Lied, das, -er
Spiel, das, -e
Buchstabenspinne, die, -n
Was ist das?
nein
ja
raten
Ratet mal!

Seite 7
Zahl, die, -en
eins
zwei
drei
vier
fünf
sechs
sieben
acht
neun
zehn
elf
zwölf
ein wenig
plus
ist
minus
Was?

anderer/es/e
Seite, die, -n

Seite 8
Zahlenbingo, das (Sg.)
Schwarzer Peter (als Spiel)

Themenkreis Kennenlernen

Seite 9
kennenlernen
Hallo
Guten Abend
Abend, der, -e
Guten Morgen
Morgen, der (Sg.)
ach
Ach ja!
richtig
Gute Nacht
Nacht, die, ¨-e
He!
du
Was?
Au weia!
Schule, die, -n

Lektion 1: Komm, wir spielen!

Seite 10
kommen
wir
spielen
Was denn?
denn
Tischtennis (als Spiel)
Fangen (als Spiel)
wissen
ich weiß
Würfeln (als Spiel)
oder
Schwarzer Peter (als Spiel)
Fußball (als Spiel)
Au ja!
Seilspringen (als Spiel)
Basketball (als Spiel)
Verstecken (als Spiel)
Memory® (als Spiel)

Karten (als Spiel)

Seite 11
nachsprechen
Ratespiel, das, -e
Pantomime, die (Sg.)
Kind, das, -er
los
Laut, der, -e
Buchstabe, der, -n

Lektion 2: Spiele

Seite 12
Partnersuchspiel, das, -e

Seite 13
Abzählreim, der, -e
Was kommt dann?
Du bist dran.
also
ich
haben
gewonnen
so

Lektion 3: Planetino

Seite 14
Kannst du ...?
Wer?
sein
du bist
ich bin

Seite 15
gut
Also gut.
jetzt
in
das
so sein

Seite 16
klein
Geschichte, die, -n
malen
falsch

Lektion 4:
Guten Tag – Auf Wiedersehen

Seite 17
Guten Tag
Tag, der, -e
Tschüs
Auf Wiedersehen
Frau, die, -en

Seite 18
machen
ihr
ihr macht
da
Was macht ihr denn da?
dürfen
ich darf
mitspielen
Darf ich mitspielen?
klar
Ja, klar.
nichts
Wie?
bitte
Wie bitte?
langweilig
Wie langweilig.
Rätsel, das, -
Herr, der, -en
Clown, der, -s
Mail, die, -s
schicken
Stichwort, das, -e
Nummer, die, -n
Lösung, die, -en
Sieger, der, -
Herzlichen Glückwunsch!

Seite 19
Comic, der, -s

Themenkreis Meine Familie

Seite 21
Familie, die, -n
Papa, der, -s
doch
nicht
dein/deine
Vater, der, ¨
möchte-
mein/meine
Freund, der, -e
auch

Lektion 5:
Meine Mutter

Seite 22
Mama, die, -s
Mutter, die, ¨
und
Woher?
du kommst
aus
Na so was!
reinkommen
Wo?
sie
hier
da
Hörgeschichte, die, -n

Seite 23
Ufo, das, -s
Computer, der, -
Antenne, die, -n
zeichnen

Lektion 6:
Meine Geschwister

Seite 24
Geschwister, die (Pl.)
Schwester, die, -n
super
aber
nett
bis

Seite 25
dreizehn
vierzehn
fünfzehn
sechzehn
Bruder, der, ¨
er
Lust, die (Sg.)
kein/e
keine Lust haben
Quatsch, der (Sg.)
So ein Quatsch!
er heißt
heißen
doof
alt
weiter

Seite 26
E-Mail, die, -s
Na ja.
bald
bis bald
bei
Familie, die, -n
geben

nur
einmal
aussehen
alles
echt
Shetland-Pony, das, -s

Lektion 7:
Mein Vater

Seite 27
schon
Sitzboogie, der, -s
siebzehn
achtzehn
neunzehn
zwanzig

Seite 28
noch mal
Hund, der, -e
Katze, die, -n

Lektion 8:
Meine Freunde

Seite 29
Eltern, die (Pl.)
beste
Freundin, die, -nen
Baby, das, -s
etwas
von
mir
wir sind
zu Hause
Haus, das, ¨er
lieb
sehr
oft
erst
spielen gehen
lieber
noch
Jahr, das, -e
zusammen
schreiben

Seite 30
schauen
Schau mal.
Astronaut, der, -en
interessant
schön
wohl
Fußballspielerin, die, -nen
komisch
Na so was!
basteln
Fingerpuppe, die, -n

Seite 31
fragen
sich vorstellen

Themenkreis Schule

Seite 33
Foto, das, -s
danke
Klasse, die, -n
Lehrerin, die, -nen
Was ist denn los?
O je!
schwer
Das geht so: ...

Lektion 9:
Meine Klasse

Seite 34
im
Klassenzimmer, das, -
Tür, die, -en
Schrank, der, ⸚e
Papierkorb, der, ⸚e
Tafel, die, -n
Waschbecken, das, -
Fenster, das, -
Stuhl, der, ⸚e
Tisch, der, -e

Seite 35
E-Mail, die, -s
Schüler, der, -
Mädchen, das, -
Junge, der, -n
Sportlehrer, der, -
viel
Gruß, der, ⸚e
Viele Grüße

Seite 36
Reim, der, -e
Farbe, die, -n
rot
rosa
grün
blau
gelb
lila
braun
grau
weiß
schwarz
nur
herkommen
Komm her!

Lektion 10:
Im Unterricht

Seite 37
Unterricht, der (Sg.)
heute
schreiben
lieber
malen
lesen
gern
rechnen
singen
turnen
basteln
tanzen
schlafen

Seite 38
Dialog, der, -e
selbst
du möchtest
Spaß, der, ⸚e
Spaß machen
mit
Bildkarte, die, -n

Lektion 11:
Meine Schulsachen

Seite 39
Schulsachen, die (Pl.)
Rap, der, -s
Blatt, das, ⸚er
Block, der, ⸚e
Bleistift, der, -e
Schere, die, -n
Spitzer, der, -
Filzstift, der, -e
Füller, der, -
Farbstift, der, -e
Turnzeug, das (Sg.)
Tasche, die, -n
Radiergummi, der, -s
Rucksack, der, ⸚e
Malkasten, der, ⸚
Mäppchen, das, -
Pinsel, der, -
Kreide, die, -n
Heft, das, -e
Lineal, das, -e
Buch, das, ⸚er

Seite 40
geben
Gib mir ...
das
bitte
den
die

Seite 41
Farbenwürfelspiel, das, -e
nehmen

Seite 42
haben
du hast
dann
leidtun
Tut mir leid!
dabeihaben
herausnehmen
überhaupt

Lektion 12:
Was möchtest du machen?

Seite 43
Schulsachen, die (Pl.)
verstecken

Seite 44
fernsehen
schade
Mir ist so langweilig.
vielleicht
ihr seid
sicher
Ja sicher.

Seite 45
Antwort, die, -en
antworten

Themenkreis Meine Sachen

Seite 47
Sache, die, -n
Mütze, die, -n
sofort
hergeben
Hose, die, -n
Idee, die, -n
Na?

Lektion 13:
Kleidung

Seite 48
Kleidung, die (Sg.)
vor
Schaufenster, das, -
Schal, der, -s
Mantel, der, ⸚
Pulli, der, -s
Rock, der, ⸚e
Tuch, das, ⸚er
Kleid, das, -er
Hemd, das, -en
T-Shirt, das, -s

Bluse, die, -n
Jacke, die, -n
Handschuh, der, -e
Jeans, die (Pl. und Sg.)
Stiefel, der, -
Schuh, der, -e
finden
ganz
ganz nett
nachher
einkaufen
anziehen

Seite 49
Platzwechselspiel, das, -e
Wie findest du …?
gar nicht

Seite 50
toll
Quartett (als Spiel)

Lektion 14:
Was ziehst du an?

Seite 51
Schi fahren
gehen
Schihose, die, -n
anhaben
zumachen
aufsetzen
Ruhe, die (Sg.)
Lass mich in Ruhe.
Schi, der, -er

Seite 52
ausziehen
Brille, die, -n

Seite 53
Du bist raus.

Lektion 15:
Hanna und Heike

Seite 54
nach
Sport, der (Sg.)
weg
es

Seite 55
Kaufhaus, das, ¨er
Spielsachen, die (Pl.)
Schreibwarenabteilung, die, -en
Euro, der, -
Stück, das, -e
Geschichte, die, -n

Seite 56
fertig
alles
Sieh mal!
Puppe, die, -n
Puppenkleid, das, -er
süß

Lektion 16:
Herzlichen Glückwunsch!

Seite 57
Geburtstag, der, -e
von
der
die
das

Seite 58
Kimspiel, das, -e
Das weiß ich noch!
nachdenken
Sache, die, -n
bravo
heute
bekommen
Das macht nichts.
passen
dazu

Seite 59
Würfelspiel, das, -e
einmal
zweimal
viermal
dreimal
fünfmal

Themenkreis
Spielen und so weiter

Seite 61
und so weiter
Ball, der, ¨e
Igitt!
schmutzig
Computerspiel, das, -e
Wie geht das?

Lektion 17:
Was ist denn los?

Seite 62
So ein Mist!
können
Das gibt's doch nicht!
zur
Würfel, der, -
Warum?

Seite 63
SMS, die, -
mit

Lektion 18:
So viele Sachen!

Seite 64
wünschen
Gameboy, der, -s
Teddybär, der, -en
CD-Player, der, -
Lastwagen, der, -
Drachen, der, -
MP3-Player, der, -
Schiff, das, -e
Spiel, das, -e
Fahrrad, das, ¨er
Springseil, das, -e
Skateboard, das, -s
Auto, das, -s
Flugzeug, das, -e
Handy, das, -s
Eisenbahn, die, -en
Puppe, die, -n
Figur, die, -en
Inlineskates, die (Pl.)
Karte, die, -n
Comic, der, -s
zum

Seite 66
total
alt
neu
sauber
kaputt
ganz
fliegen
Musik, die (Sg.)
hören
fahren

Seite 67
würfeln

Lektion 19:
Hören – spielen – singen

Seite 68
ein/e
fühlen
Fühl mal!

Seite 69
dick
lang
klein
groß

dünn
kurz
Das muss wohl so sein.

Seite 70
Klopfspiel, das, -e
Buchstabenspiel, das, -e
gleich

Lektion 20:
Was machst du gern?

Seite 71
los sein
natürlich
dabei sein
Ach so.
Bett, das, -en

Seite 72
manchmal
laut
egal
sonst
Rock'n'Roll, der (Sg.)
Interview-Spiel, das, -e

Seite 73
Hand, die, ⸚e
Hand hoch!
zählen

Theater

Seite 75
Theater, das, -
König, der, -e
Gespenst, das, -er
Person, die, -en
Schloss, das, ⸚er
wunderbar
Platz, der, ⸚e
Leute, die (Pl.)
wohnen
viel zu tun haben
immer
Stress, der (Sg.)
am Abend
ruhen
Königin, die, -nen
Mann, der, ⸚er
helfen
Prinz, der, -en
Prinzessin, die, -nen
jeden Tag
am Samstag
Minister, der, -
Rat, der (Sg.)
auf einen Rat hören

mit Rat und Tat
Diener, der, -
schnell
brauchen
Ruh' (Ruhe), die (Sg.)

Seite 76
reiten
Montag, der, -e
Reitlehrer, der, -
Dienstag, der, -e
Mittwoch, der, -e
Donnerstag, der, -e
Freitag, der, -e
Samstag, der, -e
Sonntag, der, -e

Seite 77
spät
Wie spät ist es?
Uhr, die, -en
aufstehen
Mittagessen, das, -
Kaffee, der (Sg.)
trinken
Abendessen, das, -
frühstücken
Hausaufgabe, die, -n
treffen
arbeiten
ins Bett gehen

Seite 78
über
Bewohner, der, -
Mitternacht, die (Sg.)
schlagen
auf einmal
wieder
Zimmer, das, -
aufwachen
plötzlich
aufhören
am nächsten Tag
sprechen
bedeuten
Geisterstunde, die, -n
nachts
unterwegs
böse werden
einfach
Ecke, die, -n
warten
geistern
bleiben
gerade
stellen
Zeiger, der, -
vorbei

sauer
fest
Krone, die, -n
verlassen
leise
Schlafzimmer, das, -
mitnehmen
nächster/nächstes/nächste
sitzen
Turm, der, ⸚e
hinaufsteigen
Turmzimmer, das, -
aufmachen
eigentlich
schlimm
ausschlafen
einverstanden sein

Seite 79
Schlaf, der (Sg.)
erwachen

Seite 80
Szene, die, -n
sehr wohl
Moment, der, -e
Vogel, der, ⸚
sagen
zuerst

Seite 81
Zeit, die (Sg.)
gemein
Das ist gemein.
müde

Seite 82
Kostüm, das, -e
Material, das, -ien
Goldpapier, das (Sg.)
falten
Zacke, die, -n
ausschneiden
zusammenkleben
Kette, die, -n
Alufolie, die (Sg.)
Karton, der, -s
Streifen, der, -
zusammendrehen
Ring, der, -e
ineinanderhängen
Kreis, der, -e
schneiden
Loch, das, ⸚er
Scheibe, die, -n
einwickeln
festmachen

Seite ✦83

Kulisse, die, -n
Korken, der, -
Stecknadel, die, -n
Zifferblatt, das, ⸚er
anmalen
durch
stecken
Bühne, die, -n
zusammenstellen
Decke, die, -n
darüberlegen
Kissen, das, -
Bettdecke, die, -n
hineinlegen
aufhängen
Thronsaal, der (Sg.)
mehrere
Halbkreis, der, -e
aufstellen

Seite ✦84

Theateraufführung, die, -en
wechseln
umbauen
Umbau, der, -ten
üben
Bühnenarbeiter, der, -
Strophe, sie, -n
Rolle, die, -n

Feste im Jahr

Seite ✦85

Fest, das, -e
St. Martin, der (Sg.)
Laterne, die, -n
dort
oben
leuchten
Stern, der, -e
unten
Hahn, der, ⸚e
krähen
miauen
Martinsmann, der (Sg.)
voranziehen
Licht, das, -er
ausgehen

Seite ✦86

rund
Käseschachtel, die, -n
Kartondeckel, der, -
Transparentpapier, das (Sg.)
Teelicht, das, -er
Kerze, die, -n

Stock, der, ⸚e
Holz, das, ⸚er
Nagel, der, ⸚
Draht, der, ⸚e
Deckel, der, -
Kartonstreifen, der, -
Boden, der, ⸚
kleben
ankleben
Papier, das, -e
bunt
festkleben

Seite ✦87

Nikolaus, der (Sg.)
Stube, die, -n
Bub, der, -en
erschrecken
Rute, die, -n
stecken lassen
bringen
für uns
Püppchen, das, -
essen
Süppchen, das, -
Nuss, die, ⸚e
springen lassen
danken
Apfel, der, ⸚
Zahnstocher, der, -
Walnuss, die, ⸚e
Watte, die (Sg.)
Gesicht, das, -er
Bart, der, ⸚e
spitz
Hut, der, ⸚e

Seite ✦88

Advent, der (Sg.)
Weihnachten, das (Sg.)
Adventskalender, der, -
Dezember, der (Sg.)
jeder/es/e
Kalender, der, -
leer
Streichholzschachtel, die, -n
Band, das, ⸚er
bekleben
Schachtel, die, -n
bemalen
Schokolade, die (Sg.)
Keks, der, -e

Seite ✦89

Tannenbaum, der, ⸚e
grünen
Sommerzeit, die (Sg.)
Winter, der (Sg.)

wenn
schneien
Weihnachtsstern, der, -e
Quadrat, das, -e
cm (Zentimeter, der, -)
Kreuz, das, -e
Diagonale, die, -n
einzeichnen
Kreuzlinie, die, -n
Hälfte, die, -n
einschneiden
einrollen
zweiter/es/e
gedreht

Seite ✦90

Weihnachtskarte, die, -n
Rand, der, ⸚er
verzieren
aufkleben
Innenseite, die, -n
Frohe Weihnachten
freuen (sich)
welcher/es/e
Jubel, der (Sg.)
Leben, das (Sg.)
unser/unsere
wach
Weihnachtstag, der, -e

Seite ✦91

Karneval, der (Sg.)
Fasching, der (Sg.)
feiern
Maske, die, -n
Pappteller, der, -
Wolle, die (Sg.)
Gummi, der, -s
aufmalen
Haar, das, -e
Auge, das, -n
Nase, die, -n
Seite, die, -n

Seite ✦92

Ostern, das (Sg.)
suchen
Osterei, das, -er
Osterhase, der, -n
ausblasen
Ei, das, -er
Hasengesicht, das, -er
Ohr, das, -en
als
Hals, der, ⸚e

Quellenverzeichnis

Wir danken den Schülerinnen und Schülern der Grundschule Weßling und der Hauptschule Dachau-Süd für die gute Zusammenarbeit bei den Fotoaufnahmen.